지극히도 평범한 당신

지극히도 평범한 당신

발　행 | 2024년 4월 23일
저　자 | 엉짱
펴낸이 | 한건희
펴낸곳 | 주식회사 부크크
출판사등록 | 2014.07.15.(제2014-16호)
주　소 | 서울특별시 금천구 가산디지털1로 119 SK트윈타워 A동 305호
전　화 | 1670-8316
이메일 | info@bookk.co.kr

ISBN | 979-11-410-8242-0

www.bookk.co.kr

지극히도
평범한
당신

엉짱 지음

Prologue.

사람 사는 거 다 똑같아.

한창인 나이에 회사에서 퇴직하고 실직자로 하루하루를 하는 일 없이 보내게 될 줄은 몰랐다. 주위 사람들은 내게 회사 생활을 제법 잘한다고, 정년까지 아무 걱정 없이 잘 버틸 것 같은 영락없는 직장인이라고 말했다. 나는 어릴 적부터 하얀 와이셔츠에 색색 가지의 넥타이를 매고 잘 다린 양복을 입은 훤칠한 회사원이 되는 꿈을 키워왔다. 그리고 소박하지만, 화목한 가정을 꾸리고 부모로서 아이들의 성장을 바라보며 한 집안의 가장 역할에 충실한 삶을 사는 꿈도 키웠다.

지극히도 평범한 꿈이었지만 어찌 되었든 난 운 좋게도 그 꿈들을 하나씩 이루며 이십여 년이 넘는 직장 생활을 해왔고 이 시간을 가족들과 함께 행복한 추억들로 하나씩 채워 왔다. 만약, 신께서 다시 한번 똑같은 삶을 살 수 있는 기회를 주신다면 난 잠시의 망설임도 없이 고마운 마음으로 그 기회를 잡을 것이다.

내가 회사를 떠나는 뒷모습은 정년까지 회사 생활을 무탈하게 마무리하고 오랜 시간을 함께한 동료들의 축하 속에서 벅차오르는 가슴을 안고 퇴직하는 것이었다. 이후에는 아내와 함께 남은 삶을 소소한 일상으로 채워가는 인생의 황혼기를 맞이하고 싶었다. 평범해 보이지만 후회 없이 만족스러운 한 평생이었다고 말할 수 있는 사람이 되고 싶었다.

하지만 어느 날 갑자기 폭풍처럼 찾아온 구조조정은 인생 후반기 내 삶의 모든 것을 한순간에 빼앗아 버렸다. 나와 더불어 많은 사람들이 회사를 떠나야 했고 준비되지 않은 삶을 살아가야만 했다. 홀로 걷는 길의 시작이었다.

퇴직 후 가장 먼저 시작한 것이 독서였다. 퇴직자들의 이야기가 담긴 책을 찾아 읽기 시작했다. 무슨 생각을 하며 어떻게 살아가야 하는지 그들로부터 도움을 받고 싶은 생각 때문이었다. 하나같이 새로운 목표를 설정하고, 계획을 세우고, 열심히 달려가고, 마침내 목표를 달성하는 결과로 채워진 책들이었다. 남들보다 조금 더 열심히 산 사람들이었고 좋은 결과를 얻은 사람들의 이야기였다.

하지만 퇴직한 사람들이 모두 그들과 같은 삶을 살고 있지는 않을 것으로 생각한다. 어쩌면 책 속의 그들은 평범하지 않은 삶을 사는 사람들일지도 모른다. 그래서 나는 실직자의 지극히도 평범한 삶을 이야기하고 싶었다.

이 책은 지극히 평범한 퇴직자의 일상 이야기를 다루고 있다. 그렇게 특별하지도 않은, 사람들로부터 주목받지도 못하는 그저 우리 옆을 스쳐 지나가는 이름도, 얼굴도 모를 사람의 이야기다. 이 책을 읽는 사람에게 "당신이나 나나 살아가는 모습은 별 차이가 없구나. 사람 사는 게 다 똑같구나"하는 공감을 나누고 싶었다. 그래서 퇴직 이후의 일상을 담고자 나는 노트북 자판을 두드리기 시작했다. 나와 같은 실직자들과 내 이야기를 나누고 싶다.

차 례

[Story 3] 이런 생각, 저런 생각

[Story 4] 내 옆의 사람들

[Story 5] 새로운 도전의 시작

Epilogue. 오늘도 희망을 품으며

[Story 1] 퇴직의 길

퇴직 기준 공지

입사 10년 차 이상, 나이 40세 이상.

그동안 온갖 소문으로만 떠들썩했던 퇴직 기준이 발표되었다. 회사 설립 이후 처음으로 실시한다는, 우리를 한없이 초조하고 불안하게 만들었던 그 초유의 관심사가 사내 온라인 게시판에 공지된 것이다. 회사 분위기는 급격하게 냉랭하고 침울해졌으며 군데군데 모여 있는 사람들의 입에서는 앞으로 벌어질 퇴직에 대한 이야기가 주를 이루기 시작했다. 모두 일이 손에 잡히질 않는 모습이었다.

'내가 집에 가야 할 때가 훌쩍 넘었나 보구나. 세월 참 빠르다.'

나는 회사에서 퇴직을 요구하는 기준에 딱 들어맞는 대상자였다.

이 기준에 해당하는 사람들이라면 너나 할 것 없이 한결같은 마음이었을 것이다. 회사는 이번 퇴직 결정에 대해 새로운 미래를 준비하기 위한 전략 방향의 전환과 경영상의 이슈라는 명분을 내세웠다. 하지만 긴 세월 회사를 위해 젊음과 열정을 불태웠던 사람들에게 회사를 떠나야 한다는 현실은 황망하고 참담할 따름이었다. 모든 임직원은 한 가족이라는 말은 잘못된 말이었다. 우리는 그저 고용인과 피고용인의 관계일 뿐 그 이상도 그 이하도 아니었다.

앞으로 한 달 동안 퇴직 기준에 해당하는 대상자 모두를 상대로 개별 면담이 진행될 예정이다. 이 기간에 나를 포함한 대상자들은 저마다의 앞날에 대해 많이 고민해야만 한다. 개중에는 회사에 남기 위해 몸부림치는 사람도 있을 것이고, 면담과 동시에 회사를 박차고 나가는 사람도 있을 것이다. 하루 종일 눈앞이 캄캄하고 도무지 내가 무엇을 어떻게 해야 할지 종잡을 수가 없었다.

뉴스로만 봐왔었던 일이 이제는 내게 현실로 다가왔다. 퇴근 시간이 되었는데도 집으로 가야 하는 발걸음이 좀처럼 떨어지질 않는다. 이 사실을 가족들에게 어떻게 말해야 할지 걱정스러운 마음이 들어 나도 모르게 눈시울이 뜨거워진다.

떠나는 사람들

퇴직 기준이 공지된 이후로 하루가 멀다고 동료들이 찾아온다. 과거 같은 팀에서 일했던 동료, 타 부서에서 협업했던 동료, 오가며 인사를 나누던 동료 등 이들은 모두 개인 면담을 마친 후 회사를 떠난다며 작별 인사를 하러 오는 사람들이었다.

"마지막 인사를 드리러 왔습니다. 그동안 고마웠습니다. 건강히 잘 계세요. 모두 밖에서 성공한 모습으로 다시 만났으면 좋겠습니다."

"이렇게 회사를 떠나시면 안 되는데요. 꼭 부자 되시고 건강하세요. 나중에 소주나 한잔하시죠."

모두 착잡하고 참담한 마음이었겠지만 겉으로는 아무런 내색조차 없이 그저 어색한 미소를 지으며 마지막 작별 인사를 건넬 뿐이었다. 하나둘씩 떠나는 동료들을 보고 있자니 마음이 아프고 답답해 일이 손에 잡히질 않았다. 아니, 이제 일을 해서 무엇하랴. 나보다 먼저 면담을 끝낸, 나보다 며칠 먼저 떠나는 이들일 뿐이다. 함께 했던 기억들이 바람처럼 스쳐 지나며 아쉬움을 남겼다. 이제는 이들과 함께 일할 기회는 영영 없을 것이다. 떠나가는 동료들의 뒷모습에서 곧 다가올 미래의 내 모습을 보게 된다.

부디 잘들 가시오. 모두 건강하시고 부자 되시오.

어려운 결심

한 달이라는 시간 동안 많은 생각과 고민이 있었다. 그동안 직장 생활을 해오면서 사람과 일에 대한 스트레스로 가끔 회사를 그만둬야겠다고 생각한 적이 있다. 그럴 때마다 절친들에게 짜증 섞인 목소리로 푸념을 늘어놓았다. 그들은 하나같이 회사를 그만두는 것은 처절한 지옥문을 열고 들어가는 것이라며 말리고는 했다.

"회사 밖 세상은 지옥 그 자체야."

"우리가 스스로 지옥 불구덩이에 뛰어들 필요는 없잖아."

"따로 먹고 살 준비가 되어있지 않다면 회사를 그만둔다는 생각은 아예 하지도 마."

어느 날 갑자기, 아직 나이 오십 줄에도 들어서지 않은 내게 먼 이야기인 줄 알았던 퇴직이라는 시련이 찾아와 잔인한 시간을 선사해 주었다. 뉴스에서나 보고 듣던 구조조정과 실직자의 길이 이렇게 빨리 찾아올 것이라고는 생각지도 못했다.

'퇴직 기준에 해당한다는 이유로 모든 사람들이 회사를 떠나야 하는 건 아니겠지? 내 면담 차례가 오면 회사에 남겠다고 끝까지 버틸까? 아니면 그냥 미련 없이 떠날까?'

내게 선택권이 있는지도 모르겠지만, 이리저리 재고 또 재보면서 하루하루를 보냈다. 그렇게 시간은 흘러갔고 나는 상사와 개인 면담을 하게 되었다.

'어차피 회사를 떠나야 한다면 그냥 쿨하게 받아들이자.'

"네. 저도 회사의 뜻을 받아들여 퇴직하겠습니다."

퇴직을 결심하기까지 얼마나 많은 고민에 빠지고 삶에 대한 두려움을 느껴야 했는지 모른다. 아내와 함께 퇴직 이후의 삶을 어떻게 대비해 나갈 것인지 의논하며 뜬 눈으로 날을 새기도 여러 번이었다.

"이제는 내 남은 삶을 누구에 의해서가 아닌 나 스스로 결정하고 만들어가고 싶어."

내 퇴직은 아내에게도 청천벽력과 같은 일이었을 것이다. 그렇지만 아내는 전혀 불안한 내색도 없이 이런 내 결심에 따듯한 격려와 응원을 보내 주었다. 오히려 내가 더 큰 상처를 받지 않도록 세심한 배려와 위로의 말도 해주었다.

"그동안 고생했어. 우리는 잘 헤쳐 나갈 수 있을 거야. 설마 굶어 죽기야 하겠어? 너무 걱정하지 마."

아내와 딸들에게 너무나 고맙고 미안한 마음뿐이었다. 하루도 빠짐없이 들려오는 동료들의 퇴직 소식에 초조하고 불안했던 날들이 퇴직을 결정한 이후로는 무덤덤해지기 시작했다. 오히려 마음이 한결 가볍고 편안해졌다.

난 그렇게 정든 회사와의 이별을 준비하기 시작했다.

마지막 출근

여느 때처럼 변함없는, 그렇지만 회사에 출근하는 마지막 날이었다. 사무실에서 자리를 정리하는 동안 타 부서의 몇몇 동료들이 찾아와 내게 작별 인사를 건넸다. 회사에 남게 된 한 선배는 내 퇴직 소식에 불이 나게 달려와 말했다.

"사고 한 번 안치고 일 잘하고 있는 네가 왜 나가는데? 못 나가겠다고 버텨보지 그랬어."

"이번 기회에 남이 아닌 나를 위한 삶을 살아보는 거죠 뭐. 하하하. 잘 지내세요. 그동안 감사했습니다."

난 어설픈 웃음을 지으며 먼저 찾아와 준 고마운 선배에게 아쉬운 작별의 마음을 전했다.

팀 동료들과 함께 마지막 점심을 먹었다. 모두가 회사에서 더 크게 성공하길 바라고, 건강 관리도 잘하고, 꼭 정년퇴직 하기를 바란다는 말도 남겼다. 생각해 보니 동료들에게 정년퇴직이 의미 있는 당부였을까 하는 생각이 들어 헛웃음이 났다. 요즘 같은 세상에 정년퇴직을 하는 사람이 과연 몇이나 될까?

마지막 근무를 하면서 많은 사람들과 작별 인사를 나누었지만, 내일의 태양이 뜨면 난 또다시 터벅터벅 사무실로 출근할 것만 같다. 내가 쓰던 책상과 의자, PC는 모두 그대로이겠지만 변한 것은 그 자리에 내가 없다는 것뿐이다.

내 삶의 변화는 이렇게 시작되었다. 이제는 출근하려고 아침 일찍 눈을 뜨지 않아도 되고, 만원 지하철에 시달리지 않아도 되며, 일과 사람으로 인한 스트레스에 시달리지 않아도 될 것이다. 그러나 한동안은 중년이 되기까지 오랜 세월을 몸담아 온 회사, 그리고 서로 어깨를 부딪치며 같이 일해온 동료들과 더 이상 함께 할 수 없다는 현실에 어색함을 느낄 것이다. 이십 년이 넘는 젊은 날의 많은 흔적들이 기억의 저편으로 희미해져 간다는 것은 그동안 무덤덤하게만 살아왔던 내게 큰 파고로 다가올 것이다.

퇴근하는 발걸음이 여느 때와는 다르게 한 발 한 발을 내딛기가 너무 무겁고 힘들다.

그래, 이게 바로 마지막 퇴근길이구나.

퇴직 축하 파티

이십 년이 넘는 직장 생활의 퇴직을 축하한다며 가족들이 조촐한 파티를 열어주었다. 그동안 가족을 위해 헌신한 남편이자 아빠에 대한 고마움의 표현이란다. 돌이켜보니 내 직장 생활은 결코 짧지 않은 세월이었다. 이십 년이 넘는 직장 생활은 늘 나와 가족을 위한 시간이었다. 그래서 남들에게 뒤지지 않으려고 열심히 노력한 순간들의 연속이었다. 나는 아내와 함께 식탁에 앉았다. 딸들은 미리 준비한 케이크에 촛불을 밝히며 퇴직을 축하한다는 노래를 부르기 시작했다.

"퇴직 축하합니다~. 퇴직 축하합니다~. 아빠의 퇴직을 축하합니다~."

딸들의 축하 노래를 들으며 어둠을 밝히고 있는 촛불을 보고 있자니 가슴이 뭉클해져 왔다. 좋아해야 하는지 슬퍼해야 하는지 머릿속이 어지러웠다.

"퇴직했다고 너무 기죽지 말고 평소처럼 당당하게 지내. 또 다른 내일을 준비하는 마음으로 말이야."

아내의 응원에 고마움과 미안함이 함께 뒤엉켜 살짝 눈물이 나기도 했다. 더불어 잘 다니던 회사를 나와야 한다는 현실과 이제는 무능력한 가장이 되었다는 자책감에 서러움이 밀려들었다. 이젠 정말 실직자라는 꼬리표가 붙게 된 것이다.

"아빠, 아무 걱정 하지 마. 우리가 있잖아. 우리 가족은 잘 이겨낼 거야."

자기들도 괜찮다며 아무런 걱정도 하지 말라는 딸들이 대견해 보였다. 그리고 미안했다. 그동안 딸들에게 격려의 메시지를 전하는 것은 나와 아내의 몫이었는데 오히려 지금, 이 순간은 딸들로부터 위로와 격려를 받고 있다. 둘 다 스무 살이 넘은 성인이어서인지 마냥 어리게만 보이던 녀석들에게서 든든함이 느껴졌다. 언제 이렇게 커버렸는지 모르겠다.

그래, 내 곁에는 항상 날 응원해 주고 격려를 아끼지 않는 가족이 있다. 세상이 무너진 것도 아니고 내일이 없는 것도 아닌데 혼자 기죽어 살 필요는 없다. 다시 시작하면 된다. 지금까지 열심히 살아왔으니 잠시 쉬어가는 것도 나쁘지 않다.

헬렌 켈러는 '힘든 시간을 견뎌내는 것은 우리가 진정으로 강해질 수 있는 기회'라고 말했다. 소중한 가족의 품에서 더욱 강해지는 시간을 갖도록 해야겠다.

[Story 2] 실직자로 살아가기

바쁜 척

퇴직 후 처음으로 맞이하는 주말이지만 여느 때와 다름없는 일상이 이어졌다. 늘 그랬듯이 집 안을 청소하고, 반려견들을 목욕시키고, 아내와 함께 극장을 찾아 신작 영화를 보고, 거실 소파에 누워 TV를 보았다.

그렇게 반복된 주말이 지나고 새로운 월요일이 시작되었다. 지난주와 달라진 것은 아침 일찍 일어나 출근 준비를 하지 않아도 된다는 것이었다. 그래도 오랜 세월 동안 몸에 배어있는 습관 때문인지 이른 아침부터 눈이 자연스럽게 떠졌다. 이불 속에서 뭉그적거리다가 아침 겸 점심을 먹고, TV 리모컨으로 이 채널 저 채널을 돌려보고, 책장 깊숙이 묵혀 두었던 책을 꺼내 읽다가 저녁을 먹었다. 그렇게 특별히 하는 일 없이 무미건조한 일주일이 지나갔다. 또다시 찾아온 주말, 지난 한 주의 내 생활을 곰곰이 돌이켜 보았다.

'일을 하지 않아서 편하기는 한데 이렇게 계속 지내다가는 폐인이 될 것만 같다.'

내겐 변화가 필요했다. 시간을 헛되게 쓰지 않기 위한 나만의 체계적인 계획이 필요한 것이었다. 시간을 낭비하고 있다는 생각을 하니 참기가 어려웠다.

다시 찾아온 월요일, 난 보통의 직장인들처럼 이른 시간에 일어나 아침밥을 먹고 인터넷 신문을 둘러보며 이메일을 확인했다. 공공기관, 연구기관이 발표하는 각종 경제 관련 리포트를 찾아 세상 돌아가는 정보를 훑어보기 시작했다. 정오가 되면 점심밥을 먹고 커피 한 잔을 마신 후 양치질을 했다. 점심시간이 끝나는 오후 1시가 되면 보고서를 작성하듯 뉴스나 경제 지표 중에서 중요해 보이는 내용들을 간추려 노트북에 정리를 했다. 형광펜으로 핵심 내용에 밑줄을 그어가면서 책을 읽었다. 퇴근 시간인 오후 6시가 되면 하루 일과를 마무리 지었다. 이렇게 며칠을 지내다 보니 회사에서 일할 때처럼 하루하루가 바쁘게 지나가기 시작했다.

그 누구도 봐주는 이 없고 관심도 없는 그런 날들이지만 스스로 바쁜 척, 일하는 척하며 하루를 살아가기 시작했다. 목적 없이 반복되는 루틴이었지만 안도감이 느껴졌다. 나태해지면 결국 퇴물이 되고 말 것이다. 그래서 더더욱 뭔가를 해야만 한다.

오랜만에 긁적여 보는 이력서

사회 초년생일 때 취업 때문에 이력서와 자기소개서를 준비하며 밤낮으로 고민이 많았던 기억이 떠오른다. 특히, 자기소개서는 특별하거나 매력적인 내용을 쓰기가 어려웠고 작성한 내용도 마음에 들지 않았기에 늦은 시간까지 며칠을 매달리며 스트레스를 받기도 했다. 일면식도 없는 타인에게 몇 줄의 글로 나 자신을 소개해야 하는 일은 결코 쉽지가 않았다. 벌써 이십여 년 전의 일이다.

실업 급여를 받기 위해 재취업 활동을 적극적으로 하겠다며 고용센터에 서약서를 제출했다. 그리고 고용노동부가 운영하는 워크넷이라는 사이트에 이력서와 자기소개서, 경력 기술서를 등록했다. 오랜만에 구직 서류를 쓰려고 하니 보통 힘든 일이 아니었다. 이십여 년 동안 직장 생활을 하면서 많은 일들이 있었고 다양한 경험을 해왔는데 몇 장 되지도 않는 서류에 내 인생을 정리하는 일은 결코 쉬운 일이 아니었다. 그것도 간결하고 깔끔하게 말이다.

어떻게 정리를 해야 나라는 사람을 잘 표현할 수 있을지 막막하기만 했다. 오래된 기억을 하나씩 더듬어 가며 지난 삶의 흔적들을 써 내려갔다. 얼추 마무리된 이력서를 읽다 보니 직장 생활을 하는 동안 많은 경험을 쌓았고 다채로운 일들을 해왔다는 것에 새삼 놀라지 않을 수 없었다. 지금 다시 하라고 하면 그 일들을 해낼 수 있을지 의문이 들 정도로 말이다.

이력서와 자기소개서 작성을 모두 끝내고 보니 나름 모양새 나는 구직 서류가 작성된 것 같아 뿌듯한 마음이 들었다.

'지금까지 직장 생활을 참 잘 해왔구나!'

과거의 기억 속에서 자아도취에 빠져 히죽거리고 있는 날 다시 현실의 세계로 소환한 것은 재취업이라는 현실의 문제였다. 나이 오십을 목전에 둔 실직자라는 현실에 자신감이 떨어지고 걱정과 두려움이 밀려왔다. 재취업을 위해 기업의 문을 두드려야 하고, 처음 보는 사람들을 대상으로 내가 갖고 있는 일에 대한 경험과 젊은 사람들 못지않게 열심히 일할 수 있는 열정과 패기가 넘쳐난다고 설득해야 하는 입장인 것이다.

살아오는 동안 항상 불확실성의 연속이었고 도전은 계속되었다. 이제는 재취업이라는 불확실성에 맞서 또다시 새롭게 도전해야만 한다. 사회 초년생일 때처럼 물불을 가리지 않고 도전하기에는 나이도 많고 몸도 늙었지만 그래도 지금의 이 현실에 당당하고 자신

있게 맞서고 싶다. 누군가 말했다. 시작하지 않으면 경험하지 못한다.

고용센터 가는 날 1

생소한 곳이지만 앞으로 익숙해져야 하는 곳, 실직자들을 위한 곳, 바로 고용센터라 불리는 곳이다. 오늘은 퇴직하고 난 후 고용센터를 처음으로 방문하는 날이었다. 지금부터 내가 해야 할 일은 실업을 인정받은 후 매월 실업 급여를 지원받는 것과 재취업을 위한 구직 활동에 나서는 일이었다.

고용센터를 방문하기 전에 먼저 마무리해야 할 일들도 있었다. 퇴직과 동시에 회사 인사팀에 제출한 이직 신청이 고용센터에서 잘 처리되었는지를 확인해야 했고, 수급 자격 신청자를 위한 온라인 교육을 받아야 했으며, 이력서와 자기소개서를 워크넷에 등록한 후 구직 신청까지 마무리해야 했다.

처음 방문한 고용센터는 실직자들로 북적일 것 같았는데 이른 시간에 방문했기 때문인지 생각보다 많이 한적했다. 몇몇 사람들만이 창구에서 담당자와 상담을 하거나 대기석에 앉아 휴대폰을 만지작거리고 있었을 뿐이었다. 조용하고 침울하게 느껴졌던 분위기 탓이었을까? 고용센터에 머물러 있는 동안 난 지은 죄도 없는데 마치 죄인이 된 것처럼 주눅이 들었다.

접수 담당자는 PC의 키보드를 만지작거리더니 접수가 끝났다며 내가 다음으로 찾아가야 할 창구를 안내해 주었다. 그리고 재취업을 위한 약속이라고 제목이 적힌 서류 한 장을 내밀었다.

“여기 서명란에 사인해서 다음 창구에 제출해 주세요.”

재취업 활동을 열심히 하겠다는 다짐을 자필 서명이 담긴 서면으로 받는 것이었다. 서류를 받아들며 문득 이런 생각을 했다.

‘꼭 이렇게까지 해야 하나? 절박한 건 나 같은 실직자들인데……’

두 번째 창구에 가서 신분증과 서약서를 제출하는 것으로 실업인정에 대한 신청 절차가 모두 마무리되었다. 불과 이십 분도 채 걸리지 않은 시간이었다. 이제 고용보험 사이트에서 실업 인정 완료 여부만 확인하면 된다.

곧 나는 국가에서 인정하고 관리해 주는 공공의 실직자가 되는 것이다. 태어나서 처음 접해 본 고용센터는 그런 곳이었다.

그리운 출근길

보고서와 기획서 작성에 피곤함도 모르고 밤을 지새우던 사무실

회사 생활을 안줏거리 삼아 밤새도록 권커니 잣거니 했던 술자리

월요일부터 주말이 오길 손꼽아 기다리며 터벅터벅 걷던 출근길

등굣길처럼 가기 싫어도 가야만 했던 그 지긋지긋한 길이

이제는 가끔 그리워질 때가 있다.

순댓국

회사 생활을 시작하면서 선배들에게 이끌려 순댓국을 처음 먹어보게 되었다.

'어떻게 순대로 국을 끓이지? 노릿한 냄새는 어쩌고? 순대는 소금이나 떡볶이 국물에 찍어 먹어야 제맛인데.'

이랬던 내가 이제는 점심 메뉴로 가장 먼저 순댓국을 떠올리는 사람이 되었다. 회사 동료들이 점심으로 무엇을 먹을지 고민에 빠지면 나는 주저 없이 순댓국을 추천하고는 했다. 직장 생활을 하는 동안 순댓국 마니아가 되어 버린 것이다.

하지만 이제는 순댓국을 혼자 먹어야만 한다. 그나마 함께 밥을 먹을 수 있는 가족들마저 순댓국을 멀리한다. 아내는 노릿한 냄새가 싫다며 순댓국이라는 말만 들어도 질색하고, 딸들도 입맛에 맞지 않다며 아내처럼 순댓국을 기피한다. 그렇다고 친구들과 함께 먹는 것도 한두 번이지 매번 연락하기에는 미안한 노릇이다.

아직은 혼자 식당 문을 들어서는 것이 낯설고 어려운 일이기에 홀로 순댓국을 먹는 일도 쉽지 않을 것 같다. 먹고 싶은 것을 못 먹는 것처럼 서글픈 일도 없는데 말이다.

점심때가 되면 북적이던 식당에서 동료들과 함께 먹었던 그 푸짐한 순댓국을 이제는 혼자 먹으러 다니는 연습이 필요해졌다.

'오~ 그래! 차라리 배달시킬까?'

실업 인정 교육

실업 인정을 받기 위해 고용센터에서 실시하는 출석 교육에 참석했다. 교육장은 이십 대로 보이는 젊은 청년부터 정년이 다 되어가는 중년에 이르기까지 각양각색의 많은 사람들로 붐볐다. 맨 앞 줄에 빈자리를 찾아 앉고는 새로 준비한 노트와 펜을 꺼내 들고 배포된 교육 자료를 훑어보았다.

나는 회사에서 교육 사업을 담당했었던지라 나름 사람들을 대상으로 다수의 교육도 운영해 보았고, 또 학습자가 되어 다양한 교육에 참석해 보기도 했다. 그런데도 고용센터의 교육 분위기는 그동안 내가 경험해 왔던 분위기와는 사뭇 달랐다.

수많은 사람들에게 매번 똑같은 내용을 반복적으로 교육해 왔기 때문인지 강단에 선 젊은 강사는 고용보험 제도와 실업 급여 지원 체계를 기계적으로 설명하고는 이내 교육을 마무리 지었다. 감흥도 없을 뿐만 아니라 지극히 딱딱하고 무색무취하며 일방적인 교육이었다.

이 자리에 앉아 있는 사람들은 모두 실직의 상처를 받은 의기소침하고 나약한 사람들이다. 이런 실직자들을 위한 첫 번째 교육에서 따뜻한 위로나 격려의 말 한마디 없이 앵무새처럼 자료만 읽어 내려가는 강사의 모습에 매정함이 느껴졌다.

어찌 되었든, 강사는 올해부터 고용보험 제도가 강화되었기 때문에 실업 급여를 수령하기 위해서는 실직자들이 기존보다 더 많은 회차의 구직 활동을 해야 하고 이에 대한 증빙 자료를 제출해야 한다고 강조했다.

벌써 걱정이 앞서기 시작한다. 과거의 경력을 살린 직장을 구하기가 쉽지 않다는 것과 더욱이 기업에서는 나이 많은 사람의 채용을 꺼려 하는 현실을 너무나 잘 알고 있기 때문이다. 나 또한 과거 우리 팀에서 필요로 했던 인력을 채용할 할 때 나이를 감안하지 않을 수 없었기 때문이다. 보다 젊고 유능한 사람을 선호하는 것은 어디나 마찬가지일 테니까. 시간은 흐르고 흘러 어느새 나도 우리나라의 평균 퇴직 나이가 되어 버렸다.

과연 이런 날 받아 줄 회사가 있을까?

담배

퇴직 후에도 하루도 빠짐없이 만나는 녀석이 있다.

많은 사람들이 만남을 기피하는 담배라는 녀석이다.

회사를 나오면 이 녀석도 다시는 만나지 않겠다고 다짐했었다.

그런데 오늘도 난 이 녀석과 마주하고 있다.

제발 우리 그만 만나면 안 될까?

실업 급여 1

고용센터의 실업 인정 교육을 받고 나니 다음날 바로 첫 번째 실업 급여가 입금되었다. 태어나서 처음으로 받아보는 실업 급여였다. 왠지 월급을 받은 기분이랄까? 회사에서 받던 월급에 비하면 턱없이 부족했지만 그래도 돈이 들어오니 기분은 좋았다.

과거 월급날이면 어김없이 차감되는 고용보험료를 보면서 도대체 내게 무슨 혜택이 있다고 이 돈을 꼬박꼬박 내야 하는 것인지 화가 나기도 했다. 그러나 막상 실업 급여를 받는 처지가 되어보니 직장인들에게 고용보험은 꼭 필요한 공적 보험이라고 인정할 수밖에 없다. 역시 보험이란 어려울 때 힘이 되는 묘한 마력이 있는 것 같다. 그래서 보험회사들이 돈을 많이 버는 것일까?

며칠 전 나는 그동안 열심히 일한 내게 주는 선물이라며 온라인 쇼핑몰에서 보조 모니터를 구입했다. 이유야 그럴싸하지만 유튜브를 보다가 보조 모니터를 유용하게 쓰는 영상을 보고는 한순간 꽂히는 마음에 충동구매를 해버린 것이다. 웃기는 말이지만 앞으로 무슨 일을 하더라도 이 모니터가 내게 많은 도움을 줄 것만 같았다. 이십 년이 넘도록 회사에서 단 한 번도 쓰지 않았던 듀얼 모니터를 왜 지금에서야 써보고 싶은 것인지 알다가도 모를 일이었다. 그 긴 세월 동안 쉬지 않고 직장 생활을 한 내게 주는 선물이 고작 작디작은 모니터라니.

여하튼 지금 이 녀석을 매우 유용하게 쓰고 있다. 자료를 검색하며 글을 쓰기도 하고, 채용 정보를 검색하며 구직 활동을 하고, 유튜브를 보며 주식을 하는 등 여러 가지 일을 동시에 하는 데 많은 도움이 된다. 지금껏 왜 하나의 모니터만으로 세상을 보려 했는지 나 자신이 참 바보스럽게 느껴졌다. 이제는 더욱 효율적으로 일을 해볼 수 있을 것 같다. 그 일이 무엇이 될지는 모르겠지만 말이다.

문명의 혜택은 받을 수 있을 때 받아야 한다는 삶의 진리를 새삼 깨닫는다.

주식, 이 길이 아닌가 봐

퇴직하면서 용돈벌이 수단으로 손에 잡기 시작한 것이 주식이다. 몇 년 전부터 회사 동료들 사이에서는 너 나 할 것 없이 부동산과 주식에 대한 재테크 바람이 휘몰아쳤다. 나 역시 이러한 분위기에 휩쓸려 뭐라도 해야 할 것 같아 매월 용돈을 조금씩 모아 당시 국민주라고 불렸던 삼성전자 주식을 한두 주씩 사 모은 것이 내 주식 투자의 시작이었다. 한동안 출퇴근길에, 밥을 먹을 때, 차를 마실 때, 화장실에 갈 때 등등 틈이 날 때마다 주식 앱을 열어보고는 했다.

이제는 하루 종일 자리에 앉아 노트북 화면에 주식 창을 띄우고 시세와 차트를 시도 때도 없이 바라본다. 주식은 쥐뿔도 할 줄 모르면서 점심값이라도 벌어보겠다는 생각에 마냥 주식 창만 바라보고 있다. 주식 유튜버들의 방송이란 방송은 죄다 찾아 구독을 신청

하고 이들이 올린 영상을 맹목적으로 모조리 시청한다. 주식 관련 책도 여러 권 사서 읽고 있다.

적은 투자금이지만 매일 이렇게 집중하고 공부하면 조금씩 수익이 발생하지 않을까 하고 막연한 기대를 품는다. 그 수익이 점점 늘어나면 내 한 달 용돈을 벌 수 있을 것이고, 또 수익이 더 커진다면 우리 집 한 달 생활비도 벌 수 있지 않을까? 꼬리에 꼬리를 무는 생각은 어이없게도 전업투자자라는 꿈을 꾸게 한다. 어리석고 무모한 생각이 아닐 수 없다.

그런데 왜 아직도 내 계좌는 마이너스의 길만 걷고 있는 것일까? 오늘도 내가 산 주식들은 노트북 화면을 파란색 음봉으로 가득 채우고 있을 뿐이다. 마치 고구마 여러 개를 한꺼번에 먹은 것처럼 가슴이 답답해져 온다.

이 길은 나의 길이 아닌 것 같다. 하지만 난 오늘도 노트북을 켜면 화면에 제일 먼저 주식 창을 열어 놓는다.

미니멀 라이프가 필요해

집에 있는 시간이 많아지다 보니 집안 이곳저곳을 자주 둘러보게 된다. 베란다 창고에는 무엇이 있는지, 딸들의 방은 정리가 잘 되어 있는지, 다용도실의 보일러와 세탁기는 잘 돌아가는지……

아내는 이런 날 보고는 꼭 기숙사 사감 같다며 매서운 눈빛을 보내기도 한다. 매일 회사와 집을 반복적으로 오가며 다람쥐 쳇바퀴 도는 생활만 하다가 시간적 여유가 생기다 보니 평소에 신경도 쓰지 않았던 일들에 관심이 가기 시작했다.

곳곳에 무슨 짐들이 그리도 많은지 깜짝 놀라지 않을 수 없었다. 입지도 않는 옷들이 옷장을 가득 채우고 있고, 책장에는 먼지가 수북이 쌓인 책들로 가득했다. 다용도실에는 사용하지 않는 집기들이 너저분하게 흩어져 있고, 베란다에는 반려견 용품과 오래된 생활용품으로 빈틈을 찾기가 어려웠다.

이것들을 하나하나씩 끄집어내고 정리를 하려니 도대체 어디에서부터 시작해야 할지 엄두가 나질 않았다. 오래되고 쓰지 않는 것은 매번 정리와 폐기를 반복해 왔는데 이 많은 짐들이 어디에서 왔는지 도무지 알 수가 없는 노릇이었다.

어느 날 큰딸이 방 정리를 한다길래 아내와 함께 도와주게 되었다. 그 작은 방에 무슨 짐들이 그렇게도 많은지 정리하는 데만 반나절이 걸렸고 버려야 할 것들이 산더미처럼 쏟아져 나왔다. 비울 것들을 비우고 나니 한결 넓고 깔끔한 방이 되었다.

며칠 후 이번에는 아내와 함께 베란다 창고에 쌓여있는 오래된 짐들을 정리하게 되었다. 빽빽하게 들어차 있는 짐들을 보니 이번에도 정리 작업이 쉽지 않을 것 같았다. 역시나 버려야 할 많은 짐들이 쏟아져 나왔고 개중에는 오래된 책들이 많았다. 이삿짐센터 사람들이 힘들어하는 일 중의 하나가 책으로 가득한 박스를 옮기는 일이라고 한다. 그만큼 책이 무겁다는 것이다. 아내의 직업이 독서지도사라 우리 집은 책이 이곳저곳에 많이 쌓여있다는 특징이 있다. 아무튼 이날도 무수히 많은 짐들을 버려야 했고 밀려오는 통증에 허리를 펼 수가 없었다.

아파트 경비 아저씨는 버려지는 짐들을 보며 내게 물었다.

"어디 이사 가세요?"

집 안을 정리할 때마다 불필요하게 쌓여있던 짐들을 버리는데도 시간이 지난 후 비워졌던 자리에는 어느새 그만큼의 짐들이 다시 채워져 있다. 매번 비웠다 채우기를 반복하며 살고 있는 것이다.

일상생활에서 필요한 최소한의 물건만으로 살아가는 삶을 미니멀 라이프라고 부른다. 다년간의 노력에도 잘 안되는 일이지만 그런데도 지금 우리 가족에게 필요한 삶이 바로 이 미니멀 라이프가 아닐까 싶다.

'손에는 일을 줄여라, 몸에는 소유를 줄여라, 입에는 말을 줄여라, 대화에는 시비를 줄여라, 위에는 밥을 줄여라.'하고 말씀하신 성철 스님의 다섯 가지 당부를 되새겨본다.

날 위한 공간, 공유 오피스

대학 동기인 한 친구가 말했다.

"올해 초에 은행을 다니던 우리 매형도 명예퇴직을 하고 지금은 집에서 지내고 있어. 정년퇴직도 얼마 안 남았는데 말이지. 요즘은 등산이나 낚시를 하러 다니며 시간을 보내고 있더라고. 매형도 회사를 그만둔 뒤로는 실직자티가 나더라. 그 깔끔했던 사람이 수염도 기르고 말이야."

친구의 말을 듣고 있자니 순간 웃음이 나왔다.

"남자들이 나이 들어 회사를 나오면 등산이나 낚시를 많이 다닌다더니 매형이 그러시네? 수염까지 기르시고 말이야."

나 역시 언젠가 회사를 나오게 된다면 많은 실직자가 그렇듯이 홀로 등산이나 낚시를 하러 다니며 일상을 채워가지 않을까 하는 상상을 해보기도 했다. 하지만 운동을 지극히 싫어하는 내겐 현실성이 없는 일들이었다. 그리고 무엇보다 난 등산과 낚시를 좋아하지 않는다. 어차피 다시 내려올 산을 왜 그렇게까지 구슬땀을 흘려가면서 힘겹게 올라가야만 하는지, 하루 종일 강이나 바닷속의 물고기가 미끼를 물어주기를 왜 기다리고 있어야 하는지 이해할 수가 없었기 때문이다.

나는 관심도 없는 등산이나 낚시보다는 다른 직장인들처럼 출퇴근을 하며 시간을 보낼만한 방법이 없는지 찾아보기 시작했다. 주변 사람들은 한결같이 동네 도서관을 추천했다. 많은 책을 볼 수 있고 공부도 할 수 있으며 다른 사람들과 함께 이용하는 곳이라 덜 허전하다는 이유 때문이었다. 예전에 하던 일을 그만두고 도서관에 다니면서 많은 책을 읽고 난 후 자기만의 독서법으로 책을 출간해 강의를 하고 다니는 사람들의 사례를 접해본 적이 있다. 책을 좋아하거나 관심이 많은 사람들이라면 괜찮을 것 같다. 하지만 나는 매일 도서관을 들락거리며 주위 사람들에게 내가 실직자인 것을 티 내는 것이 마음에 내키지 않았다. 도서관은 그냥 주말에 가끔 찾아보는 것으로 마음먹었다.

이런저런 장소를 찾다가 유튜브에서 공유 오피스 이용법과 장단점이라는 영상을 보게 되었다. 사무실 공간이 필요하지만, 비용을 아끼고 싶은 스타트업이나 1인 기업, 공부할 공간이 필요한 사람들이 매월 일정 비용을 지불하고 이용하는, 딱 내가 찾는 공간이었다.

이런 곳이라면 하루 종일 혼자 있어도 어색하거나 남들 눈치를 보지 않아도 될 것만 같았다.

며칠 동안 공유 오피스에 대해 알아보고 고민하다가 집 근처에 위치한 가성비 좋은 곳을 발견했다. 전화로 시설 이용에 대한 상담을 마친 후 이를 확인해 보기 위해 방문을 했다. 담당자는 내게 공유 오피스의 이곳저곳을 안내하며 이용 방법을 자세하게 설명해 주었다. 마치 북카페에 온 것만 같았다. 안내가 모두 끝난 후 만족스러운 마음에 바로 그 자리에서 계약을 체결했다. 이로써 나만의 공간을 처음으로 갖게 된 것이다. 이곳은 내가 이용할 책상과 의자, 커피와 음료, 냉난방기와 무선 인터넷, 복합기, 회의실 등 일을 하기 위해 필요한 기본적인 것들이 모두 잘 갖추어진 탁월한 공간이었다.

나만의 공간을 마련하긴 했는데 앞으로 이곳에서 무엇을 해야 할지 아직은 잘 모르겠다. 다만, 적어도 집에서 아내로부터 삼식이 소리를 듣지 않아도 되고, 가족들에게 잔소리만 해대는 공공의 적이 되지는 않을 것 같다. 친구에게도 매형한테 공유 오피스 이용을 권해보라고 말해줘야겠다. 적어도 등산이나 낚시를 하는 것과는 다른 생활을 하게 될 것 같다고 말이다.

이제 남들처럼 출근할 곳을 마련했으니, 다음 스텝으로는 무엇을 하며 먹고 살 것인지 진지하게 고민하는 시간을 가져야겠다.

혼밥

회사에 다닐 때 종종 혼자 점심을 먹는 일이 있었다. 일 때문에 늦거나 외근이 있어 남들보다 먼저 밥을 먹어야 할 때, 위장병이 도져 죽을 먹어야 할 때, 누군가와의 점심 약속이 없을 때 등등......

이유야 다양했지만 혼자 밥 먹는 일은 언제나 불편하고 처량했다. 특히, 혼밥하는 모습을 회사 사람들에게 보여주는 것은 더욱 불편하고 싫었다. 그래서 혼자 밥을 먹을 때면 이유를 막론하고 늘 허겁지겁 식사를 마무리해야만 했다.

퇴직 후 이제는 혼밥에 조금씩 익숙해지고는 있지만 종종 회사에 다닐 때 느꼈던 혼밥의 불편함이 아직도 습관처럼 몸에 남아 허겁지겁 밥을 먹게 된다. 누가 지켜보는 것도 아닌데 말이다. 이런 내 모습에 헛웃음이 나기도 한다.

'아~!, 혼자 밥 먹는 건 불편해!'

생일

올해도 생일은 어김없이 찾아왔다. 혈기 왕성한 청년일 때는 친구들과 함께 술집에 모여 시끌벅적하게 생일을 보내는 것이 연중행사였다. 술과 안주 사이에 케이크를 두고 나이만큼 초를 꽂아 불을 밝혔다. 때로는 장난스러운 친구들로 인해 먹음직스러운 케이크가 얼굴에 뭉개지는 참사가 발생하기도 했고, 때로는 술잔을 기울이는 주변 사람들과 생일 케이크를 나누어 먹기도 했다. 그때는 그런 일들이 마냥 즐겁기만 했다.

중년이 된 이후로 생일이 되면 가족과 함께 조용하고 오붓한 시간을 보내는 것이 좋았다. 가족으로부터 생일을 축하한다는 인사말과 함께 아내가 끓여 준 미역국으로 하루를 시작하고, 퇴근 후에는 가족과 외식을 하며 케이크에 불을 붙였다. 그리고 정성스럽게 포장된 선물도 받았다. 과거 친구들의 자리를 이제는 가족이 채워준 것이다.

퇴직 후 처음 맞이하는 이번 생일은 온 가족이 처음으로 요즘 유행하고 있는 '인생 네 컷'도 찍어보고, 팥빙숫집에서 인절미 빙수를 먹으며 오랜만에 수다를 떨었다. 며칠 전부터 남편, 아빠의 생일을 어떻게 준비할 것인지, 무슨 선물을 할 것인지 소곤소곤 의논하는 아내와 딸들의 속닥거림에 소소한 행복을 느꼈다.

이번 생일은 단순히 생일을 맞이한 것 이상으로 가족과 소중한 시간을 함께 나누는 행복의 의미를 깊이 성찰하는 시간이었다. 시간이 지나도, 내가 어떠한 상황에 놓이더라도 변함없이 날 신경 써주고 챙겨주는 것은 오롯이 가족뿐이라는 것을 다시 한번 확인하게 되었다.

건강 검진

“어제가 오늘 같고, 오늘이 내일 같다.”

“평일인지 주말인지, 낮인지 밤인지 구분이 안 된다.”

회사를 퇴직한 사람들 사이에서 이런 말들이 전해지기 시작했다. 나 역시 많은 공감이 간다. 회사를 나온 후 우리의 시간은 정처 없이 이렇게 흐르고만 있다.

오늘은 회사에서 퇴직자들에게 마지막으로 지원하는 종합 건강 검진을 받는 날이었다. 다른 때처럼 아침 일찍 시작하는 검사를 받기 위해 아내와 함께 서둘러 병원을 찾았다. 키와 몸무게를 재는 것부터 시작해 위내시경 검사에 이르기까지 여러 가지 검사를 받았는데 아침 일찍 서두른 탓인지 두 시간이 채 걸리지 않고 모든 검사가 끝났다.

검사를 받는 내내 혹시 회사 동료들을 만나지는 않을까 하는 마음에 자리를 이동할 때마다 고개를 이리저리 두리번거렸다. 작년까지는 매번 두세 명의 동료들을 만나 검사 중간중간에 서로 담소를 나누기도 했는데 오늘은 그 누구도 만나볼 수가 없었다. 올해가 이 병원에서 건강 검진을 받는 마지막이기에 동료들을 볼 수 없는 서운함과 아쉬움은 더 컸다.

매년 반복적으로 건강 검진을 받지만 늘 불안함과 초조함 때문에 가슴을 졸이게 된다. 병원에 가면 멀쩡한 사람도 환자가 된다고 하지 않던가. 단지 검사를 받는 것뿐인데 꼭 중병에 걸린 사람이 된 듯한 기분이다. 없던 병이 생기지는 않았는지, 앓고 있는 병이 더 악화되지는 않았는지...... 평소 잦은 위장병으로 고생하는 내게 위내시경과 대장내시경 검사는 불안과 걱정을 더 해준다. 이번에도 별일 없겠지?

회사 생활을 하는 동안 얻은 고지혈증과 지방간, 위염 등의 만성적인 성인병으로 인해 하루하루를 약에 의존하며 살고 있다. 약을 꾸준히 복용하고 있으니 곧 괜찮아질 것이라며 나 자신에게 최면을 걸면서 말이다.

건강하기만 했던 청년이 일에, 사람에, 술과 담배에 찌들어 이리치이고 저리 치이며 살다가 어느 날 뒤를 돌아보니 꼰대라 불리는 중년이 되었고, 만성화된 성인병은 그 누구보다도 절친한 친구가 되었다.

회사란 건강하게 입사한 청년이 젊음을 불사르다가 중년에 이르러 환자가 되어 나가는 곳이라는 생각이 든다. 회사와 건강은 직장인에게는 매우 중요한 요소들이다. 회사는 경제적으로 안정된 삶을 살아가는 데 필수적이며 그 속에서 나라는 존재의 가치를 인정받고 성취감을 느끼게 해준다. 이 모든 것을 가능하게 해주는 것이 바로 건강이다. 그럼에도 불구하고 오늘을 살아가는 직장인들에게 이 두 가지 요소는 꼭 시소와 같다는 생각이 든다. 지금껏 회사에서의 성공과 자신의 건강을 맞바꾼 사람들을 여러 명 봐와서일지 마음 한 구석에 서글픔이 밀려든다. 늦었지만 지금부터라도 건강 좀 잘 챙겨가며 살아야겠다.

실업 급여 vs 월급

본격적인 찜통더위가 시작된 어느 여름날 또다시 실업 급여가 입금되었다. 회사에 다닐 때는 월급날이 되면 가족들과 외식도 하고 쇼핑도 했는데 실업 급여를 받는 처지가 되니 생활비 쓰기에 급급한 나머지 이제는 외식이나 쇼핑을 할 엄두가 나질 않는다.

실직자가 된 지 몇 달이 지났지만, 소비를 줄이겠다는 계획은 아직도 실천하기 어려운 숙제다. 그동안 살아왔던 생활 패턴이 있으니 몇 달 남짓한 짧은 시간에 이를 바꾼다는 것은 쉽지 않은 일이다.

유튜브나 블로그를 통해 실직자들의 일상 이야기를 접하다 보면 그들이 공통적으로 느끼는 어려움이 씀씀이를 줄이는 것임을 알 수 있다. 나도 실직자 생활을 시작하면서 그들과 같은 어려움을 느끼기 시작했다. 아내와 함께 그동안 써왔던 생활비 내역을 하나하나

들춰보며 이것저것 줄여보겠다고 허리띠를 졸라매지만, 현실은 생각과 많이 다르다.

최근에도 뉴스는 기업들의 구조조정이나 명예퇴직에 관한 우울한 내용을 쉼 없이 다룬다. 갈수록 실직자들이 늘어나는 추세이다 보니 유튜브나 SNS에는 생활비를 줄이는 방법에 대한 콘텐츠가 끊이지 않고 쏟아진다.

직장인들은 월급날만 되면 개미 오줌만큼의 월급이 통장을 잠시 스쳐 지나간다며 볼멘소리를 한다. 나 역시 한 달에 한 번씩 같은 생각을 되풀이했었다. 하지만 실직자가 되어보니 이 같은 직장인들의 푸념이 배부른 소리처럼 들린다. 그냥 월급 그 자체가 소중하게 여겨질 뿐이다. 이런 생각을 하는 것은 오랜 세월 동안 견고하게 다져진 내 노예근성 때문일까?

이제는 월급날을 기다리는 직장인들처럼 실업 급여일이 기다려진다. 그나저나 이번 달 재취업 활동은 또 뭘 해야 하나……

로또라는 희망고문

언제부터인지 기억나지는 않지만 매주 토요일이 찾아오면 버릇처럼 집 근처 복권방에서 로또를 구입한다. 자동으로 선택된 번호 30개가 담긴 오천 원짜리 로또 한 장. 길몽을 꾸거나 좋은 일이 있을 때면 욕심도 부려볼 만한데 어김없이 매번 오천 원짜리 로또 한 장만을 고집한다. 지갑에서 몇만 원씩 꺼내며 로또를 구입하는 사람들을 볼 때면 나도 더 사볼까 하는 괜한 욕심이 들어 고민을 해보지만 결국 오천 원짜리 로또 한 장을 구입하는 것은 변함이 없다. 매주 오천 원짜리 로또 한 장을 구입하는 것은 어느새 내 철칙이 되었다.

회사에 다닐 때는 1등에 당첨만 되면 작은 상가 건물을 구입해 월세를 받으며 돈 걱정 없이 편안하게 살겠다는 건물주의 꿈을 꾸기도 했다. 당시 로또는 재테크란 것을 모르고 살아온 내게 지긋지긋한 월급쟁이 생활에서 벗어날 수 있는 유일한 희망이었다. 많은 직장인이 같은 꿈을 꾸면서 매주 로또를 구입하지 않을까 싶다.

때때로 늦은 밤 동료들과의 술자리를 마치고 나면 집에 가기 전에 로또 판매점을 찾아가 동료들 수만큼 오천 원짜리 로또를 구입해 한 장씩 선물하며 부자 되라는 덕담을 건네기도 했다. 그러면 동료들은 이보다 좋은 선물이 또 어디 있겠냐며 너스레를 떨었다.

퇴직한 후에도 매주 토요일이면 아내와 함께 동네 복권방에서 로또를 구입한다. 달라진 것이 있다면 이제는 건물주 대신 매월 생활비 걱정 없이 사는 꿈을 꾼다는 것이다. 실직자라면 공감하는 부분이겠지만 지금 우리 부부에게 가장 큰 고민은 앞으로의 생활비 문제다.

지금까지 매주 토요일이 찾아오면 변함없이 로또를 구입해 왔지만 단 한 번도 5등 이상 당첨된 적이 없다. 일주일에 한 번씩 낙첨되는 로또를 갈기갈기 찢으며 아쉬움을 토로하는 일이 반복되고 있지만 늘 로또를 구입하는 날에는 1등 당첨이라는 새로운 꿈을 품게 된다.

또다시 토요일이 찾아오면 나는 아내와 함께 오천 원짜리 로또 한 장을 구입하기 위해 복권방을 찾을 것이다. 1등에 당첨될 때까지 계속해서 로또를 사겠다고 다짐하면서 말이다.

잠들어가는 휴대폰

실직자가 되면서 변화된 것 중 하나는 시끄럽게 울려대던 휴대폰 벨 소리가 확연하게 줄어들었다는 것이다. 회사에 다닐 때는 업무 내용을 묻는 동료들의 전화나 거래처들의 전화, 친구나 가족들의 전화 등으로 휴대폰이 쉴 틈이 없었다. 전화가 오지 않는 주말을 간절하게 기다릴 정도였다.

퇴직한 후에도 한동안은 회사를 떠난 이유를 묻거나 위로와 격려를 남기는 주변인들의 전화, 업무 인수인계로 걸려 오는 후임들의 전화, 안부와 함께 회사 생활에 대한 푸념을 늘어놓는 동료들의 전화 등으로 통화 내용이 바뀌기는 했지만, 휴대폰 벨 소리가 끊이지 않았다.

이제는 친구나 가족으로부터 걸려 오는 전화 이외에는 휴대폰 벨 소리가 울리지 않는다. 업무로 인해 회사 동료들이나 거래처 사람들로부터 전화가 올 일이 없어졌다. 회사에서 퇴직 프로그램을 실시한 지 이미 몇 달이 지났고, 그사이에 모두들 안정된 일상을 되찾았기 때문일 것이다. 그게 회사이고 시스템이니까.

어찌 되었든, 내 휴대폰은 조용히 잠들기 시작했다. 이 녀석이 꿀맛 같은 단잠을 잘지, 아니면 긴 동면에 들어가는 곰처럼 오랜 잠을 자게 될지 모르겠다. 다만, 이 피할 수 없는 현실이 오랜 직장생활 속에서 이어져 왔던 인연의 끈들을 모두 끊어 버렸다는 것에 구슬픈 마음이 들 뿐이다. 허전함과 허탈함이 거센 물결처럼 몰아치는 밤이다.

밥값

어김없이 매일 찾아오는 점심시간이 되면 회사에 다닐 때나 실직한 지금이나 변함없는 질문을 하게 된다.

'오늘은 또 뭘 먹지?'

퇴직 전에는 주위에 이 질문을 받아주는 동료들이 있었는데 지금은 나 자신에게 자문자답을 한다.

비가 많이 내리는 날이면 공유 오피스에서 가장 가까운 식당에 간다. 단순히 가깝다는 이유 때문만은 아니다. 이 식당은 밑반찬이 다섯 가지나 나오는 8천 원짜리 대구탕에 고등어구이를 추가로 주기까지 한다. 요즘처럼 고물가 시대에 가성비가 높은 착한 식당이다. 밥값이 싸다고 음식의 질이나 맛이 떨어지는 것도 아니다. 그래서 다른 식당들보다 이 식당을 찾는 횟수가 더 많아지는 것 같다. 안타까운 것은 이 식당을 찾는 손님들이 그리 많아 보이지 않는다는 것이다. 나라도 자주 찾아 사장님의 근심을 조금이나마 덜어 드려야겠다고 생각하게 된다.

요즘은 어느 식당에 가더라도 점심 한 끼를 먹기 위해서는 만 원 이상의 밥값을 지불해야 한다. 식당 주인장들은 코로나 이후로 재료비, 인건비, 임차비 등 부대 비용의 상승으로 밥값을 올리지 않을 수 없다고들 말한다. 직장인들에게도 부담스러운 가격인데 실직자에게는 더 큰 부담이 아닐 수 없다. 그래서 내게는 싸고 맛있게 먹을 수 있는 식당을 찾는 일이 중요한 하루의 일과가 되었다. 점심을 먹고 나면 버릇처럼 테이크아웃한 커피 한 잔을 마시는 것도 이제는 사치스럽게 여겨진다.

불과 몇 달 전까지만 해도 이 같은 일은 남의 일일 뿐 나와는 무관한 일이라고 여겼었다. 만약 내가 실직자가 되더라도 밥값 때문에 쪼잔한 사람이 되지는 말자고 생각했다. 그렇게 아주 가끔 생각만 하던 '만약에'가 지금은 받아들일 수밖에 없는 현실이 되었고 오늘도 난 밥값을 걱정하는 쪼잔한 사람으로 하루를 살아가고 있다.

퇴직 후 한동안은 여느 직장인들과 다르지 않은 점심시간을 보냈다. 매일 주위의 소문난 맛집을 찾아다녔고, 테이크아웃한 커피를 손에 들고 거리를 홀로 거닐었다. 하지만 시간이 지날수록 밥값이 부담으로 다가오기 시작했다. 돈 한 푼 벌지 못하는 처지에 직장인들처럼 점심시간을 보낸다는 것 자체가 처음부터 말이 안 되는 일이었다.

이제는 가성비 좋은 식당을 찾는 일로 점심시간을 맞이한다. 특히, 주변에 외부인이 출입할 수 있는 값싼 구내식당이 있으면 좋겠다고 생각하면서 말이다. 자본주의 사회에서 인플레이션은 필수 불가결이긴 하지만 팬데믹 이후로 물가 상승률은 가히 살인적인 수준이다.

하늘 높은 줄 모르고 치솟기만 하는 밥값이 이제는 좀 내렸으면 좋겠다. 아니면 내가 재취업을 하는 일이 더 빠른 길일까?

끝나지 않은 혼돈

예전 부서에서 함께 일했던 후배들과 저녁 식사를 했다. 퇴직 전에는 서로 근무지가 다르기 때문에 일 년에 불과 서너 번밖에 볼 수 없었던 후배들이었다. 반년 만에 만나게 되었지만, 오랜 세월을 함께 일했던 익숙함 때문이었는지 어제 보고 오늘 또 보는 듯했다. 퇴직한 선배를 개인적으로 만나는 일이 쉽지 않은데 그래도 내가 회사 생활을 아주 못한 것은 아니었나 보다.

우리는 반가움에 악수를 하며 서로의 근황을 나누었다. 이윽고 소주잔을 채우고 붉게 달아오른 숯불에 삼겹살을 구우며 함께 했었던 지난 추억들을 소환해 이야기꽃을 피웠다.

보통의 직장인들 술자리라면 분위기와 흥에 겨워 어느 정도 거나하게 취하도록 술을 마신 후 그동안 속에 품고 참아왔던 이야기들을 하나둘씩 쏟아내기 마련이다. 우리의 술자리도 시간이 지날수록 가슴 속 담아두었던 이야기들을 하나둘씩 끄집어내는 자리로 변하기 시작했다.

후배들은 많은 선배들의 퇴직에 말할 수 없는 참담함을 느꼈다고 한다. 그리고 설마 퇴직이 이번 한 번으로 끝나겠냐며, 머지않아 자신들에게도 들이닥칠 일이 될 것만 같다며 불안해했다.

"당신들은 아직 젊고 회사에서 할 일이 많으니까 너무 걱정하지 마. 퇴직 프로그램은 우리가 처음이자 마지막일 거야."

불안하고 지친 후배들에게 내가 선배로서 해줄 수 있는 일은 단지 그들의 이야기를 들어주고 다독여주는 것밖에는 없었다.

많은 사람들이 퇴직해야만 했던 대지진이 일어난 지 수개월의 시간이 지났음에도 불구하고 회사에는 아직 혼돈이라는 여진이 이어지고 있다고 한다. 퇴직으로 인해 비어있는 자리를 다른 사람들로 재배치했으나 이들에게도 새롭게 시작하는 일들인 만큼 업무에 익숙해지기까지는 시간이 필요하고 새롭게 리더가 된 사람들 역시 전임자들의 업무를 수행하기 위해서는 시간이 필요하기 때문일 것이다.

퇴직 기준에 해당하지만, 회사에 남게 된 사람들에 대한 일부 직원들의 부정적인 시각이 있는 것 같다고 한다. 남은 사람 중 일부는 타 부서로 발령을 받아 자리를 옮겨 기존에 하던 일과는 무관한 일들을 하고 있다고 한다. 후배들은 마치 회사가 둘로 쪼개져 있는 것만 같다며 서글퍼했다.

이제는 나와 상관없는 일이 되었지만, 그래도 오랜 세월 몸담아왔던 회사가 하루빨리 이 혼돈의 시기를 지나 안정을 되찾길 바라는 마음이다. 혼란스러운 상황 속에서 여기저기 불만들이 이어지고 있다는 후배들의 푸념을 듣고 있자니 고요한 호수에 거친 돌팔매질을 한 것처럼 마음이 쓰리고, 아파졌다. 동시에 나 역시 준비되지 않은 퇴직으로 인한 혼돈과 답답한 현실에 씁쓸함을 느꼈다. 아직도 무엇을 해야 할지 모르겠고, 어떻게 살아야 할지 갈피를 잡지 못하고 있기 때문이다.

한동안 퇴직 프로그램에 따른 혼란스러운 여진이 계속되겠지만 회사가 조금씩 안정을 찾아가듯 후배들도 불안감을 잘 이겨낼 것이다. 후배들처럼 나도 이 어두운 터널에서 하루빨리 벗어나 새로운 일과 인생을 맞이하고 싶다는 생각을 해본다.

실업 급여 2

세상이 어떠하든 시간이란 녀석은 덧없이 빨리 흐르며 제 갈 길을 간다. 오늘도 또다시 실업 급여가 입금되었다. 한 달이라는 시간이 이토록 짧은 시간이었다는 것을 새삼 느끼게 된다.

실직자가 돼보니 뉴스에서 고용보험이나 실업 급여를 다루는 내용에는 귀가 쫑긋해진다. 얼마 전에 본 뉴스 중에는 여당에서 실업 급여 제도를 개선하고자 공청회를 열었다는 내용이 있었다. 이 자리에서 한 여당 의원이 현재의 실업 급여에 대한 문제점을 지적하면서 달콤한 보너스라는 뜻의 실업 급여라고 언급했다고 한다. 그리고 소관 부처 담당자는 여성이나 청년이 수급액으로 명품을 사거나 해외여행을 간다고 발언해 문제가 되었다고 한다. 이 같은 발언들은 실업 급여로 생계를 이어가는 수급자들에게 조롱과 모욕이 될 만한 위험한 표현이라는 생각이 들었다.

실업 급여란 고용보험료를 낸 노동자가 실직하게 될 경우 그들의 생계 안정과 재취업을 돕기 위해 지급하는 급여의 성격을 갖고 있다. 제도를 악용하는 일부 사람들 때문에 수급자 모두가 매도당하는 것은 문제가 있다고 본다.

실직자들에게 위로와 격려의 메시지를 전하지는 못할망정 일부 사람들의 문제를 전체의 문제로 확대하여 해석해 제도 개선에 대한 기준으로 삶겠다는 움직임은 실업 이후 또 한 번 실직자들에게 잊지 못할 생채기를 주는 일일 수밖에 없다. 정책을 입안하고 운영하는 중요한 자리에 있는 사람들이라면 말 한마디에 신중을 기해야 한다.

만약, 실업 급여 제도에 대한 개선을 진행한다면 부디 사회적 약자인 실직자들에 대한 지원이 폭넓게 이루어져 사회로 재진입하는데 도움을 줄 수 있도록 강화되면 좋겠다.

경제 인구가 감소하는 오늘날 실직자들의 사회 복귀는 우리 사회에 많은 도움이 될 것이다. 그들은 생산 활동의 증대와 더불어 고령자 부양 부담 완화, 미래 세대의 부담 경감 등 그 역할을 충분히 해낼 수 있는 사람들이다.

그러니 아직 왕성하게 일할 수 있는 나도 사회에 빨리 복귀할 수 있도록 정부의 아낌없는 지원이 있기를 소망해 본다.

내가 좋아하는 것은?

낚시를 좋아하는 한 선배는 어부가 된 것처럼 배낚시를 즐긴다.

독서를 좋아하는 한 선배는 작가의 길을 걷겠다며 소설을 쓴다.

게임을 좋아하는 한 친구는 개발자가 되어 게임을 만든다.

커피를 좋아하는 한 후배는 카페를 열고자 바리스타를 공부한다.

정작 난 무엇을 좋아하는지, 무엇을 해야 할지 모르겠다.

고용센터 가는 날 2

하늘의 구름이 한없이 무겁기만 했던 날, 실업 인정 담당자를 만나 재취업 활동 현황을 확인받기 위해 고용센터로 발걸음을 옮겼다. 우산을 뚫을 듯 굵은 장대비가 사정없이 내려 옷과 신발, 가방이 모두 흠뻑 젖었다. 흐리고 무더운 날씨 때문인지 고용센터를 방문하는 기분도 우울했다.

실업 인정 담당자는 지난 출석 교육 때 봤던 매정한 강사처럼 본인의 임무에 충실하게 해야 할 말만 줄줄이 쏟아냈다. 온라인 학습은 몇 회까지만 할 수 있다, 남은 기간 구직 활동을 어떻게 해야 한다, 지원 업종의 기준은 어떻게 된다, 제출 서류는 어떻게 준비해야 한다는 등 5분도 채 되지 않는 짧은 시간 동안 많은 내용을 전달하고자 노력했다. 도무지 무슨 말을 하는지 알아들을 수가 없었다. 몇 가지 추가 질문과 답변이 오고 간 후 더 이상 그녀와 대화를 나누고 싶지 않은 마음에 쏜살같이 고용센터를 빠져나왔다.

고용센터에서 만나 본 담당자들은 민원인에 대한 응대 매뉴얼 때문인지 친절해 보이기 위해 애를 썼지만 그다지 정감이 가거나 인정이 있어 보이지는 않았다. 실직자들이 드나드는 기관의 특성 때문인지 고용센터의 분위기는 어둡고 무겁기만 했다. 매일 실직으로 상처받은 사람들을 상대하는 직원들도 많이 힘들 것 같다는 생각이 든다. 그래도 위로와 격려의 따뜻한 말 한마디라도 주고받을 수 있는 곳이 된다면 우울한 마음으로 고용센터를 방문한 실직자들이 기분 좋게 집으로 돌아가게 되지 않을까?

고용센터가 실직자들에게 재취업이라는 희망을 품을 수 있게 만들어 주고 이를 적극적으로 지원해 주는 따뜻한 기관으로 다가간다면 직장인들이 매월 납부하는 고용보험료가 더 값지고 의미 있을 것이라고 생각해 본다.

돌아오지 않는 메아리

적어도 하루에 한 시간 이상 채용 정보를 찾아보는 날들이 이어지고 있다. 채용 사이트들을 보면 많은 회사들이 다양한 직무에서 사람을 필요로 한다는 것을 알 수 있다. 공기업, 대기업, 중소기업 할 것 없이 많은 곳에서 채용을 진행하는데 막상 지원 자격을 보면 내가 이력서를 제출할 만한 곳을 찾기는 쉽지 않다. 업종이나 직무를 막론하고 주로 왕성하게 일할 수 있는 실무자급인 이삼십 대의 젊은 청년들을 필요로 하는 모집 공고가 대부분이다.

채용 사이트들은 내게 이렇게 말하는 것 같다.

"그 어디에도 당신이 들어갈 자리는 없소."

간혹 입사 지원을 하기에 적합해 보이는 채용 정보를 찾게 되면 우선 찜부터 해놓고 지원 서류들을 준비하기 시작한다. 앞서 작성해 놓은 이력서도 다시 한번 꼼꼼히 확인해 보고, 경력 사항에 빠진 것은 없는지 훑어보며 자기소개서의 내용을 또다시 고쳐 써 본다. 내가 제출한 입사 지원 서류들이 채용 담당자에게 매력적으로 보일지도 골똘히 생각해 본다. 서류의 내용들은 보고 또 봐도 모자람이 없어 보인다. 경력과 경험들도 이만하면 충분하고 모난 성격도 아니고 조직에 대한 적응과 의사소통이 어려운 것도 아니다. 의지와 열정도 충만해 보인다.

최종 점검이 완료된 서류들을 제출한 후 해당 기업의 채용 담당자로부터 회신이 오기만을 기다린다. 처음에는 당연히 빨리 면접을 보자는 회신이 올 줄 알고 근거 없는 자신감이 넘쳐흘러 그다지 재취업에 대한 걱정이 없었다.

'설마 내가 면접도 못 보겠어?'

그러나 점점 시간이 흐르고 입사 지원 횟수가 늘어가면서 이 근거 없는 자신감은 온데간데없이 사라져 버렸다. 이제는 입사 지원을 하기 전부터 걱정이 앞서기 시작한다.

'이번에도 면접 보러 오라는 회신이 없으면 어떻게 하지? 내가 이렇게까지 매력이 없는 사람인가?'

가끔 TV 뉴스에서는 청년들이 백여 곳이 넘는 기업에 입사 지원을 했음에도 불구하고 단 한 곳도 면접을 보지 못했다는 우울한 소식을 전하고는 한다. 우리나라의 청년 실업이 사회적 문제로 부각된 지는 이미 오래된 일로 기성세대로서 가슴 아픈 일이 아닐 수 없다.

재취업 과정을 몸소 체험해 보니 중년들의 재취업 문제도 청년 취업 못지않게 심각한 문제가 아닐 수 없다는 생각이 들었다. 이 문제 또한 국가적, 사회적 이슈로 폭넓고 깊이 있게 다루어져야 하지 않을까?

중장년 세대는 나이에 대한 편견과 제한적인 시선으로 인해 사회 재진입에 대한 어려움을 느끼는 경우가 많다. 기업은 창의적인 생각과 민첩성, 4차 산업사회의 도래에 따른 새로운 역량을 요구한다. 이전의 업무 방식에 익숙한 중장년 세대에게 오늘날 고도로 발달한 IT 기술 기반의 업무 환경 변화는 재취업 과정에서 부족한 자신감과 불안을 야기할 수 있는 요인으로 다가온다. 그러나 중장년 세대에게는 오랜 경험과 실무 노하우, 리스크 관리 능력이 있다. 청년 세대들과 함께 이를 적극적으로 공유하고 활용할 수 있는 환경이 조성된다면 기업의 높은 성과 창출과 함께 서로 어우러져 일하는 사람들이 성공적인 경제인으로 거듭날 수 있지 않을까? 기업이 세대별 다양성과 포용성을 높이고 이들의 가치를 새롭게 인식한다면, 나이 때문에 회사에서 밀려난 실직자들이 우후죽순 난립하는 카페나 치킨집, 편의점 같은 자영업 생태계 안에서 퇴직금으로 제로섬 게임을 하는 일이 줄어들지 않을까 싶다.

아직 충분히 일할 수 있는 자신감과 열정이 있는데 불러주는 곳이 없다. 오늘도 나는 채용 정보들을 찾아본다. 이력서와 자기소개서도 다시 한번 훑어본다. 거울에 얼굴을 비추어 보기도 한다. 입사 지원을 하면 면접을 보러 오라고 회신이 꼭 오면 좋겠는데 이는 돌아오지 않는 메아리 같다. 이제는 제발 내게도 메아리가 되어 돌아왔으면 좋겠다.

"면접 보러 오세요~."

[Story 3] 이런 생각, 저런 생각

잊을 수 없는 오진

이십 대 후반의 일이었다. 매일 어지러웠고 속이 안 좋았으며 몸에 힘이 하나도 없는 증상이 계속되었다. 여기저기 좋다는 병원을 수소문해 보기도 하고, 주변에서 용하다고 소문난 병원을 소개받아 찾아다녀도 봤으나 매번 가는 곳마다 뚜렷한 원인을 찾을 수 없었다.

몇 달이 지난 후 증상이 더 악화되어 집에서 쓰러지는 일까지 발생했고 결국 119구급차에 실려 응급실까지 가게 되었다. 의사에게 증상을 말하니 먼저 뇌 CT 검사를 해보자고 했다. 검사를 마친 후 몇 시간이 지났다. 내게는 긴 걱정의 시간이었다. 오랜 기다림 끝에 의사는 CT 검사 결과를 들고 왔다. 그리고 내 뇌에 새끼손가락만 한 크기의 알 수 없는 것이 보인다고 했다. 정밀 검사가 필요하니 바로 입원해서 추가 검사를 진행하자며 입원을 권했다. 나는 그날 처음으로 입원이라는 것을 하게 되었다. 큰딸의 돌잔치가 있은 지 얼마 지나지 않은 날이었다.

지금도 아내는 내 뇌 속에 뭔가가 있다는 의사의 말을 생각하면 자다가도 벌떡 일어나 놀란 가슴을 쓸어내린다고 한다. 당시 아내는 큰딸을 등에 업고 밤새 병실을 서성이며 제발 큰 병이 아니기를 간절히 기도했다고 한다.

입원 첫날밤 병실 침대에 누워있던 나는 끝없이 밀려오는 불안과 걱정에 잠을 이룰 수가 없었다. 혹시나 뇌종양은 아닌지, 암흑처럼 밀려오는 공포감에 휩싸여 혼자 눈물을 흘리기도 했다.

'왜 내게 이런 일이 일어나는 거야? 만약, 내가 이 젊은 나이에 죽는다면 아내는, 저 어린 딸은, 부모님은 어떻게 하지?'

오만가지 생각이 머릿속을 맴돌았다. 믿지도 않았던 각종 종교의 신들을 불러가며 제발 살려만 달라고 간절하게 기도까지 했다.

뜬눈으로 지새운 긴 밤이 지나고 동이 트기 시작할 무렵 나는 의료진에 이끌려 MRI 검사실로 이동했다. MRI 검사를 처음 받아보는 사람이라면 알만한 일이겠지만 사방이 꽉 막힌 원통 속에 들어가 윙윙거리는 기계음을 들으며 꼼짝달싹하지도 못한 채 누워있어야 하는 일은 공포 그 자체였다. 이십여 분이라는 짧은 검사 시간이었지만 몇 년이 지난 것처럼 한없이 길게만 느껴졌던 순간이었다. 왜 내게 이런 일이 일어난 것인지, 세상 모두가 원망스럽기만 했다.

검사가 끝난 후 병실로 돌아와 송장처럼 침대에 누워 하염없이 천장만 바라보았다. 그 순간만큼은 부모님도, 아내도, 딸도, 그 누구도 눈에 들어오지 않았다. 오롯이 MRI 검사 결과가 무탈하기만을 간절하게 바랐을 뿐이다.

점심시간이 다 되어서야 검사 결과 사진을 손에 쥔 의사가 허겁지겁 병실로 찾아왔다.

"환자분, 정말 신기한 일인데 CT 검사 때 보였던 것이 MRI 검사에서는 전혀 나타나질 않았습니다. 환자분 뇌는 아무런 문제가 없어요. 그만 퇴원하셔도 될 것 같습니다."

의사의 말을 듣는 순간 두 귀가 의심스러웠고 이내 기쁨과 안도의 눈물이 흘러내렸다.

"선생님, 정말이에요? 저 정말 멀쩡해요? 정말 아무런 문제가 없다는 거죠? 고맙습니다. 정말 고맙습니다."

'다행이다, 정말 다행이다. 하느님, 부처님, 알라님 고맙습니다.'

그 순간만큼은 세상 모든 것들이 너무나 아름답고 고귀하게만 보였고, 뇌가 멀쩡하다고 말하는 의사는 마치 하늘에서 내려온 천사 같았다. 나는 가족과 함께 그 길로 퇴원을 했다. 잠시도 그 병원, 그 병실에 머물고 싶지 않았다.

그리고 이 일을 겪으면서 꼭 종교를 가져야겠다고, 신을 섬기며 착하게 살아야겠다고 마음먹었다. 그러나 어처구니없게도 난 지금까지 무신론자로 살고 있다.

이후에도 날 괴롭혀오던 증상은 계속되었으며 또 다른 병원을 찾아다니며 치료를 위해 분주히 노력했다. 그러던 어느 날 대학 친구의 어머니로부터 용한 의사가 있다는 병원을 추천받게 되었고 난 그 길로 병원을 찾아 나섰다.

증상과 함께 그동안 겪었던 일들에 대해서 의사와 상담을 마친 뒤 그가 권하는 검사들을 차례로 받았다. 여러 병원을 전전긍긍한 지 몇 년 만에 결국 병의 원인이 십이지장 궤양 때문이라는 것을 알게 되었다. 이 병을 찾기가 그렇게 어려운 일이었는지, 아니면 지금까지 돌팔이 의사만 만나왔던 것인지 지난 시간을 생각하면 분통이 터질 노릇이었다. 이후 일 년여간 처방받은 약을 꾸준히 먹고 정기적으로 외래 진료를 다니며 몸을 추스르는 데 전념했다.

그렇게 조금씩 몸 상태는 제자리를 찾아갔다. 세월이 꽤 흘렀지만 지금도 이놈의 위장에 탈이 나면 그때 당시의 트라우마가 찾아오고는 한다.

돌이켜보면, 그 당시 내게 CT 검사를 한 의사는 오진을 했던 것이다. 그것도 아주 심각하게. 지금도 그때의 일을 생각하면 두렵고 끔찍하기만 하다. 살면서 이런 일을 몇 번이나 겪을까? 당시 나는 MRI 검사 결과가 나올 때까지 세상의 끝에 서서 절망과 공포, 분노를 느껴야만 했고, 죽음을 눈앞에 둔 사람처럼 믿지도 않는 신들에게 살려만 달라고 간절히 애원해야만 했다. 다시는 생각하기도 싫은 경험이다.

살면서 가끔 힘들거나 어려운 일에 직면하게 될 때면 그때의 일을 떠올린다. 죽음을 눈앞에 둔 적도 있었는데 이까짓 거 하나 해결하지 못하겠냐며 마음을 가다듬는다. 이십 대 후반에 겪었던 이 오진 사건은 평생 잊지 못할 경험이다.

'내게 오진을 내렸던 의사는 지금 어떻게 지내고 있을까?'

나이 들수록 병원과 친해져야

사람은 나이가 들면 큰 병원이 가까운 곳에서 살아야 한다고들 말한다. 사람도 오래된 기계처럼 세월이 흐를수록 아픈 곳이 늘어나 병원 출입이 잦아들기 때문이다. 이를 증명이라도 하듯 몇 년 전부터 연로하신 내 부모님께서도 병원 출입이 잦아지셨다.

부모님의 병원 진료가 있는 날이면 회사의 눈치를 보며 휴가를 내야 했고, 그때마다 검사와 진료로 인해 오랜 시간 동안 병원에 머물러야 했다. 특히, 아버님의 교통사고 이후로 몇 년 동안은 대부분의 휴가를 부모님의 병원 진료에 사용했다.

최근에는 어머니께서 어지럼증을 호소하셔서 동네 이비인후과를 찾았더니 의사는 이석증이라는 진단을 내렸다. 사람이 나이가 들면 기력이 쇠하고 면역력이 떨어지는데 어르신들께 자주 나타나는 질환이라고 했다. 그렇지 않아도 어머니는 동네 내과와 대학병원의 신경외과, 호흡기내과 진료를 정기적으로 받으시는데 이번 이석증으로 이비인후과까지 진료과가 추가되었다.

어머니와 더불어 아버지께서도 대학병원의 정형외과, 신경외과, 통증의학과, 내과, 내분비내과 등에서 정기적인 진료를 받으신다. 아버지께서는 교통사고로 다섯 차례의 고관절 수술을 받으셨는데 최근에는 수술 부위의 통증이 쉽사리 가라앉지 않아 신경외과와 통증의학과까지 진료의 범위를 넓혔다.

아마도 부모님의 외부 활동 중에서 가장 큰 비중을 차지하는 부분이 병원 진료가 아닐까 싶다. 움직이시는 데 몸이 불편하시니 여행을 가기도 쉽지 않으신 상황이라 안타까운 마음이다. 매일 반복되는 동네 산책으로 하루하루를 보내시는 일상이 얼마나 답답하실지……

퇴직 후에는 부모님의 병원 진료 일정으로 휴가를 내기 위해 회사의 눈치를 보지 않아도 되는 자유로움이 생겼다. 가급적 진료 일정을 같은 날로 몰기 위해 병원과 입씨름하는 일도 없어졌고, 짧은 시간에 진료를 끝내고자 여기저기 허둥지둥 다닐 필요도 없어졌다. 다른 걱정 없이 부모님의 병원 진료에만 집중할 수 있어 마음이 한결 가벼워졌다.

나이가 들면 병원과 친하게 지내야 한다는 말은 진리다.

전원생활

TV를 보면 퇴직한 중장년의 사람들이 도시 생활을 청산하고 시골에서 전원의 삶을 사는 경우가 많아졌다고 한다. 도시 생활에 찌든 사람들이라면 시골에 고즈넉한 전원주택을 짓고 아침저녁으로 텃밭을 가꾸며 커피 한 잔의 여유를 즐기는 소박하고 여유로운 삶을 꿈꿀 것이다.

나 역시 퇴직을 하게 된다면 아내와 함께 그들처럼 소박한 전원의 삶을 꿈꾸기도 했다. 산봉우리에 뜨는 일출을 바라보며 맑고 신선한 공기와 함께 아침을 맞이하고 들녘으로 지는 석양과 커피 한 잔으로 하루를 마감하는, 마치 TV 광고에서나 나올 법한 한적하고 고요한 삶을 말이다.

그러나 몇 년 전부터 병원 출입이 잦아지신 부모님을 떠올리면 내게 전원생활이란 현실을 망각한 공상일 뿐이다. 그리고 나 역시 친구처럼 지내는 각종 성인병으로 병원 출입을 자주 하는데 아내도 얼마 전부터 당뇨병 진단을 받고 정기적으로 병원 진료를 받으며 약을 먹기 시작했다.

자고로 주거지는 아플 때 빨리 병원에 갈 수 있도록, 가급적 종합병원 가까이에 자리를 잡아야 한다. 그래서인지 나이가 들어서는 과거 전원생활에 대한 장점만을 찾아 아내에게 시골살이를 하자고 졸라댔던 내 모습은 온데간데없다. 오히려 이제는 주위에 전원생활을 꿈꾸는 사람들을 보게 되면 단점을 조목조목 설명하며 말리는 사람이 되었다. 구태여 그럴 필요까지는 없는데 말이다.

붉게 물든 석양을 바라보며 삶의 여유와 고요를 즐기는 것도 좋지만 이번 생에서는 그냥 다른 사람들의 전원생활을 TV에서 지켜보는 것으로 만족하련다.

넌 취미가 뭐니?

가끔 주변 사람들이 취미를 물어오는 경우가 있었다. 내겐 고민스러운 질문이었다. 독서? 영화 보기? 음악 감상? 이런 질문을 받으면 순간적으로 당황스러워서 제대로 된 답변을 하지 못해 얼버무리거나 이야기를 다른 화제로 돌리고는 했다.

과거를 회상해 보면 나도 취미를 갖기 위해 다양한 시도를 해왔다. 어느 날에는 갑자기 책에 푹 빠져 일주일에 두세 번씩 대형 서점을 찾아 새로 나온 책들을 살펴보며 몇 권의 책을 골라 바닥에 쭈그려 앉아 시간 가는 줄 모르고 독서삼매경에 빠진 적도 있다. 종종 여러 권의 책을 사 들고 집에 왔지만, 결국 그 책들은 거실 책장에서 긴 잠을 자며 먼지에 뒤덮이는 신세가 되었다.

또 다른 어느 날에는 자전거에 꽂혀 거액을 들여 MTB 자전거와 보호 장비를 구입했다. 주말이 찾아오면 한강 고수부지에 나가 무리 지어 자전거를 타는 사람들의 꽁무니를 쫓아다닌 적도 있다. 그러나 얼마 지나지 않아 자전거에 대한 흥미도 사라져 MTB 자전거는 관상용 소품으로 전락하였고 결국 친구의 아들에게 선물로 보내졌다.

또 언젠가는 TV에서 방영되는 볼링 경기에 푹 빠져들어 집 근처에 있는 볼링장을 쉴 새 없이 다니기도 했다. 다행히 그때는 장비를 사는 불상사는 발생하지 않았다.

또 한 번은 겨울 스포츠에 흥미를 느껴 적금을 해약해 스노보드 장비를 샀다. 눈이 오는 날이면 어김없이 스키장으로 향했지만, 초보자 코스를 벗어나 본 적이 없다. 딱 한 번 중급자 코스를 탔는데 미숙함 때문에 다른 사람과 충돌하는 사고가 났고 한동안 꼬리뼈 통증으로 병원에 다녀야 했다. 지금 스노보드와 장비 일체는 창고에서 녹이 슬어가고 있다.

이랬던 내가 또다시 새로운 것에 관심을 보일 때면 아내는 매서운 눈빛으로 이번에는 또 어떤 사고를 칠 거냐며 핀잔을 늘어놓는다. 어쩌면 지금까지 내가 벌여온 일들에 대한 아내의 핀잔은 당연한 일일지도 모른다. 만약 내가 과거에 시도한 일 중에서 어느 하나라도 꾸준히 해왔다면 아내로부터 핀잔을 듣지는 않았을 테고 남들로부터 취미가 무엇이냐고 질문을 받았을 때 주저하지 않고 대답할 수 있었을 것이다. 지금은 제대로 된 취미 하나 갖지 못한 나 자신에게 실망이 크다.

퇴직을 하고 나니 여유로운 시간만큼이나 취미 생활에 대한 열망도 더욱 커져만 간다. 물론 아내는 또다시 걱정하겠지만 주변에 취미를 가진 사람들을 보면 마냥 부럽기만 하다. 앞으로의 시간을 활력 있고 즐겁게 보내기 위해 나만의 취미 생활을 찾는 일을 다시 한번 심각하게 고민해 봐야겠다. 대신 돈이 안 들어가는 취미를 찾아보는 걸로!

희망의 메시지

따뜻한 미소와 긍정의 말 한마디가 절망적인 누군가에게는 희망의 메시지가 될 수 있다.

"넌 잘하고 있어. 지금까지 그래왔듯이 너 자신을 믿어 봐."

사람을 만난다는 것

어릴 적 어르신들께서 말씀해 주셨던 많은 조언 중에 미래의 운명은 어떤 사람을 만나느냐에 따라 크게 달라진다는 말씀이 떠오른다. 새로운 사람을 만날 때는 항상 경계심을 갖고 조심스럽게 알아가야 한다는 것으로 받아들여진다. 이 조언에 영향을 받아서인지 나는 새로운 사람을 만날 때면 먼저 경계심부터 갖고 상대방을 조금씩 탐색해 나가는 버릇이 생겼다.

학교, 군대, 직장 생활 등 다양한 환경 속에서 많은 사람들을 새롭게 만나왔다. 개중에는 모든 면에서 나와 궁합이 잘 맞는 사람들도 있었지만 때로는 관계를 맺는 일 자체가 부담스러운 사람도 있었다. 이런 느낌이 드는 사람들과는 처음부터 거리를 두거나 관계 맺기를 기피해야 할 때도 있었지만, 사람 간의 관계가 그렇게 쉽게 결정되는 일은 아닌 것 같다. 사람과의 관계 속에서 피해를 봤던 과거의 일들을 곱씹어 보면 그 원인은 첫 만남부터 부담스럽고 거북스러운 사람과 관계 설정이 잘못되었기 때문이었다.

반면에 궁합이 잘 맞는 사람과의 관계는 어떤 상황에서든 함께한다는 것 자체만으로도 기쁘고 행복했다. 함께 기쁨을 나눌 수 있어서, 함께 슬픔을 나눌 수 있어서 감사한 시간이었다. 그들과의 관계가 앞으로도 오랜 시간 동안 지속되기를 희망한다. 때로는 나이가 들어 은퇴하게 된다면 이들과 함께 한 동네에서 비슷한 모양의 집을 짓고 노년의 삶을 살아가거나 공통의 취미를 찾아 남은 삶을 보내는 상상을 해보기도 한다. 생각만 해도 입꼬리가 승천하는 즐거운 상상이다.

어린 시절에는 친구들과 함께 서로가 마음을 모으면 이 같은 일들이 충분히 현실로 이뤄질 수 있다고 생각했다. 하지만 반백 년의 세월을 살아보니 이는 생각처럼 쉬운 일이 아니라는 것을 깨닫게 되었다. 서로 다른 세상에서 살아온 경험이 삶의 토대를 이루고 있기 때문일 것이다. 이 같은 현실을 잘 알고 있으면서도 난 여전히 좋은 사람들과 함께 모여 사는 상상을 멈추지 않는다.

사람을 만난다는 것은 세상을 살아가는 데 있어서 가장 중요한 일일 것이다. 사람들은 서로 얽히고설키는 관계 속에서 삶의 희로애락을 만들어 간다. 어떤 사람을 어떻게 만나고, 어떤 운명을 공유할 것인지의 선택은 자기 자신에게 달려 있다.

행복한 삶을 살아가기 위해서는 현명한 선택이 있어야 할 것이고, 사람이 사람을 만나는 경험은 소중하게 간직되어야 할 가치 있는 일일 것이다.

나이 들면

나이 들면 자연스럽게 점잖고 성숙한 사람이 되는 줄 알았다.

나이 들면 자연스럽게 멋지고 합리적인 사람이 되는 줄 알았다.

나이 들면 자연스럽게 포용적이고 온화한 사람이 되는 줄 알았다.

나이 들어보니 모두 착각이었다.

입이 무거운 사람

입이 무거운 사람은 주변에서 듣는 이야기를 쉽게 퍼뜨리지 않는다는 특성이 있다. 그래서인지 주위 사람들로부터 편하게 대화할 수 있는 상대라며 좋은 평가를 받는다. 평판이 좋으면 자연스럽게 다양한 이야기를 더 많이 듣게 된다.

그에 반해, 입이 가벼운 사람은 주변에서 듣는 이야기를 다른 사람들에게 쉽게 전파하는 특성이 있다. 이런 사람들은 각종 악의적인 소문의 발원지가 되기도 한다. 그래서인지 주위 사람들은 그들을 빅마우스라 일컬으며 가까이하기를 꺼린다.

누구나 들어도 좋은 이야기는 주변에 소문으로 확산되더라도 큰 문제가 되지 않는다. 오히려 그런 소문의 주인공은 주변 사람들로부터 축하와 격려, 호감을 받게 된다. 개인적으로 생각하기에 좋은 이야기는 주변에 더 많이 확산되어 많은 사람들과 함께 나누어야 한다고 생각한다.

입이 무거운 사람이 부딪히는 문제 중 하나는 남 말하기 좋아하는 사람들이 타인에 대한 험담을 쏟아낼 때도 이를 받아주어야 한다는 것이다. 그는 이런 불편한 상황 속에서도 상대방과의 관계를 고려해 그들의 이야기를 끝까지 들어주는 인내심을 발휘해야 한다. 불편한 이야기를 하는 사람들의 공통점은 항상 이런 식으로 이야기를 마무리한다는 것이다.

"너한테만 말하는 거니까 다른 사람들에게는 절대로 말하면 안 돼. off the record야."

비밀이라고 당부하고서는 다른 자리에서 다른 사람들에게 똑같은 내용을 전파하며 스스로가 비밀이라고 했던 것을 비밀이 아닌 것으로 만들어 버린다. 참 재미있는 일이다.

가끔 삶이 힘들어 누군가에게 푸념을 늘어놓거나 한탄할 수는 있다. 그래서 속이 시원해지고 위로를 받는다면 가슴속에 겹겹이 쌓아두는 것보다 믿을만한 사람에게 표현하는 것이 정신건강에도 좋은 일일 것이다. 그러나 자기 일이 아닌 남의 일을 시시콜콜하게 여기저기 퍼뜨리는 것은 결코 바람직하지 않다. 우리의 인생은 즐겁고 행복한 순간들을 나누며 살기에도 너무나 짧기 때문이다.

누구나 자신의 주변을 살펴보면 입이 무거운 사람이 한두 명씩은 있을 것이다. 내게도 그런 친구가 한 명 있는데 지난 세월 동안 많은 대화를 나누고 힘이 되어 준 고마운 사람이다.

입이 무겁다는 이유로 남에 대한 험담을 나누기보다는 때로는 즐겁고 행복한 대화, 때로는 슬프지만 위로가 되는 대화를 함께 나누는 건전한 소통의 관계를 만들어가면 마음의 평화를 찾을 수 있을 것이다.

도전의 의미

최근에 지구 온난화로 세계 최고봉인 에베레스트의 만년설과 빙하가 녹으면서 그동안 에베레스트 등반 과정에서 실종되었던 사람들의 시신이 속속 발견되고 있다는 내용의 다큐멘터리를 봤다.

인간의 한계를 뛰어넘고자 많은 사람들이 여전히 혹독한 조건의 에베레스트 등반에 도전하고 있다. 1921년 영국 원정대의 파견으로 시작된 이 도전은 4,800여 명의 등산가가 정상을 밟았지만 안타깝게도 300여 명은 등반 도중에 목숨을 잃었다고 한다. 이 중 수습된 시신은 100여 구뿐이었지만 여전히 에베레스트에 대한 사람들의 도전은 이어지고 있다.

등산가들은 자신의 한계를 극복하고 극한에 맞서며 도전을 멈추지 않는 멋진 사람들이다. 이들의 도전 정신과 용기, 결단력에 감탄할 수밖에 없다. 그러나 다른 한편으로는 무모한 사람들이라고 생각하지 않을 수 없다.

혹시나 등반 도중에 발생할지도 모를 사고로 하나뿐인 소중한 생명을 잃을 수도 있고 가족과 지인들에게 큰 아픔을 안겨줄 수도 있다. 그런데도 그들은 지금, 이 순간에도 극한에 대한 도전을 멈추지 않고 있다. 아마도 그들에게는 일반인들과는 다르게 두려움과 공포를 느끼지 않는 특별한 유전자가 있는 것 같다.

도전은 성장하는 삶, 의미 있는 삶을 만들어가는 핵심 요소이다. 두려움과 불확실성에 도전하며 자신의 한계를 극복하고 새로운 경험과 성장의 기회를 찾아가는 과정이다.

등산가들이 에베레스트에 등반하는 도전과는 그 방식이나 형태는 다르겠지만 우리 모두에게도 삶은 도전의 연속이다. 새로운 도전을 두려워하지 않고 용기로써 마주하면 우리도 우리 나름대로 자신을 발전시키고 삶의 가치를 느낄 수 있을 것이다.

다큐멘터리를 보며 갑작스럽게 심각한 생각이 들어 도전에 대한 내 짧은 생각을 남겨 본다.

넌 꿈이 뭐니?

초등학교 시절에는 매 학년이 새롭게 시작될 무렵이 되면 담임 선생님이 반 아이들에게 미래의 꿈을 물으시곤 했다.

"여러분, 이제부터 여러분이 생각하는 꿈이 무엇인지 친구들에게 발표하는 시간을 가질 거예요. 한 사람씩 나와서 이름과 꿈이 무엇인지, 왜 그런 꿈을 꾸게 되었는지 이유를 말하고 들어가세요."

돌이켜보면, 그 당시 우리 반 친구들의 꿈은 보통의 어린이들과 다를 바 없는 상투적인 꿈들이었다. 대통령부터 군인, 과학자, 판사, 의사, 간호사, 소방관, 경찰관 등 하나같이 이름만 들어도 멋진 직업들이고 많은 어린이가 꿈꾸는 직업들이었다. 아마도 부모님의 소망이 가득 담긴 꿈이지 않았을까 싶다.

개중에 몇몇 친구들은 대답 대신 선생님께 이렇게 되묻기도 했다.

"선생님, 전 꿈이 없는데 어떻게 해요?"

평소에 꿈이란 것을 생각해 본 적이 없다는 친구들이었다. 꿈이 없는 아이들. 요즘 초등학교 아이들에게도 꿈을 발표하는 시간이 있는지 모르겠지만, 지금도 몇몇 친구들은 당시 우리 반 일부 친구들처럼 꿈이란 것을 생각해 보지 않았을 것 같다는 추측이 든다.

당시 나는 친구들과는 다른 독특한 꿈을 키우고 있었다.

"저는 회사원이 되고 싶습니다. 돈도 많이 벌고 결혼해서 잘 살고 싶습니다."

지금 생각해 봐도 다른 친구들의 꿈처럼 특별한 이유나 감흥이라고는 찾아볼 수 없는 지극히도 무색무취한 꿈이었다. 선생님은 더 구체적으로 내 꿈에 대한 이야기를 듣고 싶어 하셨다.

"회사원? 어떤 회사원?"

"그냥 회사원이요."

짧은 내 대답에 선생님께서는 엷은 미소를 지어주셨던 것으로 기억한다. 어이가 없었기 때문이었는지, 발표에 성의가 없다고 생각하셨기 때문인지, 아니면 소박한 꿈이 귀여워서인지는 잘 모르겠다. 웃기는 건 그 후로도 다른 꿈을 단 한 번도 꿔보지 않은 채로 성인이 되었다는 것이다.

대학 입시를 치를 때도 회사에 취직을 잘할 수 있는 전공이 무엇일까부터 고민을 했고, 그 결과로 경영학과를 선택했을 정도였다. 아마도 시장에서 장사를 하셨던 부모님의 오랜 당부인 흰 와이셔츠에 넥타이를 매고 사무실에서 펜대 잡으며 일하는 회사원이 되라는 말씀에 세뇌를 당했기 때문이 아닐까?

우리 반 친구들은 각자 소망했던 꿈을 이루었을까? 모두 행복하게 잘 살고 있을까? 녀석들 모두가 어떻게 살고 있는지 궁금하고 보고 싶다. 어찌 되었든, 나는 어릴 적 꾸었던 꿈을 이룬 사람 중 한 명이다. 이십여 년간 회사원으로서 가정을 이루고 행복하게 잘 살아왔으니까.

첫 번째 꿈을 이룬 만큼 이제는 어린이가 아닌 어른으로서 두 번째 꿈을 꿔보는 시기가 되었다. 다만, 변한 것은 어린 시절의 담임 선생님처럼 내게 꿈을 묻는 이가 이제는 없다는 것이다. 꿈을 묻는 사람이 있다면 오직 한 사람, 나 자신뿐이다.

"넌 꿈이 뭐니?"

웃고 산다는 것의 이로움

유튜브에서 천주교 수원교구 황창연 신부라는 분의 쇼트 영상이 눈길을 끌었다. 그는 <사는 맛 사는 멋>, <청국장 신부의 코로나 일기>, <왜 우리는 통하지 않을까?> 등의 책을 집필한 저자이기도 했다. 짧은 영상의 강의 내용은 이러했다.

"여러분, 웃는 것이 얼마나 좋냐면요, 웃는 여자들을 보면 예쁩니다. 왜 예쁜 줄 아세요? 막 웃으면 장운동이 됩니다. 장운동이 잘 되면 소화도 잘되고 피부가 예뻐집니다. 피부가 예뻐서 사람들이 예쁘다고 하면 막 웃습니다. 그럼 또 장운동이 됩니다. 장운동이 되면 사십 살이 되었는데도 얼굴이 예쁘다고 합니다. 그러면 또 막 웃습니다. 그러면 또 장운동이 됩니다. 계속 그 사람은 예쁜 것입니다. 그래서 예쁜 여자는 예쁠 수밖에 없습니다. 왜? 웃어서!

그런데 안 웃는 여자는 안 웃습니다. 그러면 사람들이 말도 안 겁니다. 그럼 매일 인상을 씁니다. 그래서 장운동이 안 됩니다. 그러면 소화가 안 됩니다. 소화가 안 되니 인상을 씁니다. 그러면 주위에서 인상을 쓰니까 피합니다. 피하니까 저 사람이 왜 피하지, 하면서 또 인상을 씁니다. 그래서 장운동이 또 안 됩니다. 장운동이 안되니까 또 인상을 씁니다. 오십 살쯤 되면 안 웃는 사람은 얼굴에 굵은 주름만 있습니다."

짧은 영상이지만 황 신부의 강의에 담긴 메시지는 매우 강렬했다. 웃는 사람이 예쁘다는 것은 누구나 다 아는 사실이다. 그러나 내게는 웃으며 사는 일이 흔한 일은 아니었다. 만약, 누군가가 내게

"오늘 몇 번이나 웃었나요?"

라고 묻는다면, 기억을 더듬어가며 손가락으로 세어봐야 할 정도로 잘 웃지 않는다. 웃음이 그리 많은 성격이 아니기도 하다. 황창연 신부의 강의 내용에 비추어 보면 난 웃지도 않고, 매일매일 인상을 쓰다 보니 소화가 안 돼 다시 인상을 쓰게 되고, 주위 사람들도 인상을 쓰는 날 피하게 되고, 저 사람이 왜 날 피할까 하고 또 인상을 쓰게 되어 얼굴에 굵은 주름만 남게 되는 그런 사람이다.

얼마 전 아내가 물었다.

"요즘 왜 그렇게 인상을 쓰고 다녀? 무슨 일 있어? 평소 인상도 좋지 않은 사람이……"

인상을 쓰는 일이 나도 모르게 습관처럼 굳어져 버린 것 같다. 그나마 잘 웃지도 않는데 퇴직 후 웃을 일이 더 줄어든 것도 잘 웃지 않는 원인 중의 하나가 아닐까 싶다. 깊은 반성이 필요하다. 그리고 생활 속 작은 일에도 웃어보려고 노력해야겠다. 난 예쁜 사람이 되고 싶으니까.

모난 성격

부족함이 있는 것이 싫다.

허술함이 있는 것이 싫다.

말만 앞서는 것이 싫다.

현실성 없는 허풍이 싫다.

정리되지 않은 것이 싫다.

생각해 보니 나도 참 모난 성격이다. 그냥 둥글둥글하게 좀 살지.

점쟁이 할머니

직장인이라면 적어도 한 번쯤은 회사를 그만두고 싶다는 생각을 해봤을 것이다. 나 역시 회사를 몇 번이고 그만두고 싶다는 마음을 품어봤었다. 특히, 부진한 사업 성과로 인해 소속된 팀이 해체될 때면 이 같은 마음은 더욱 커져만 갔다. 회사에서의 불안한 입지, 새로운 조직에서의 눈치, 미래에 대한 불안감이 한꺼번에 밀려와 감당하기 어려웠기 때문이다.

어느 날 아내는 이런 내 모습이 많이 불안해 보였는지 용하다고 소문난 점집을 소개받아 찾아갔었다고 한다.

"남편 때문에 왔구먼? 지금 남편 엉덩이가 많이 들썩거리고 있지?"

점쟁이 할머니는 아내를 보자마자 마치 줄곧 곁에서 지켜봐 왔던 사람처럼 입을 열었다고 했다. 평소 무속신앙을 믿지 않는 나도 아내의 이 같은 말을 듣고는 깜짝 놀라지 않을 수 없었다.

"정말 용한 사람인가 보네? 보자마자 그런 소리를 해?"

"어. 용하다고 주위에 소문이 많이 난 집이래. 할머니가 용하게 잘 맞추시더라고. 많이 놀랐어."

아내도 많이 놀랍고 신기했던 모양이었다. 호기심이 발동한 나는 점쟁이 할머니가 한 말들이 궁금해지기 시작했다.

"그래? 또 뭐라고 하셨어?"

아내는 점쟁이 할머니와 나눈 이런저런 이야기를 들려주었다.

"할머니 말씀이 자기는 지금 엉덩이를 들썩거리면 많이 힘들어지니까 그대로 엉덩이 붙이고 있으라는 거야. 그러면 아무 걱정 없을 거라고."

당시 점쟁이 할머니의 말대로 나는 몇 번이나 들썩거렸던 엉덩이를 붙이기 위해 참고 또 참으며 직장 생활을 하고 있었다. 그러다 보니 어느덧 흘러간 세월이 이십여 년이었다. 몇 군데의 회사를 옮겨 다녔던 청년 시절에 비하면 최근 다녔던 회사에는 오래 머문 셈이었다. 돌이켜 생각해 보니 지금까지의 회사 생활은 점쟁이 할머니 덕이 큰 것 같다.

점쟁이 할머니는 자리를 마무리하며 마지막 한마디 말을 덧붙이셨다고 했다.

"댁 네 남편은 사주를 보니 평생 일만 하다 죽을상이야. 그리고 주위에 여자도 없으니 아무 걱정도 하지 말고 잘 살기나 해."

나는 아내의 말을 듣고 박장대소를 했다. 아내에게 이런 말을 했던 것으로 기억난다.

"하하하. 난 할머니 말대로 평생 일만 하다가 죽을 사람이니까 아무 걱정하지 말고 살아."

벌써 십여 년 전의 일이다. 지금의 내 모습을 보면 평생 일만 하다 죽을상이라는 점쟁이 할머니의 마지막 점괘는 틀린 것 같다는 생각이 든다. 현재 나는 퇴직을 했고 일이 없어졌으니 말이다. 아니면 엉덩이를 들썩거리지 말라고 했는데 결국 참지 못하고 들썩거렸기 때문일까?

아내가 전해준 할머니의 말씀을 곰곰이 되뇌며 이런저런 생각들을 해보게 된다. 점쟁이 할머니는 아직 살아계실까?

이봐, 해보기나 했어?

"저는 못하겠는데요."

"그게 어렵습니다."

"정말 가능하다고 생각하세요?"

새로운 일을 시작하거나 변화가 필요할 때 동료들과 회의를 할 때면 항상 듣는 말들이었다. 특히, 늘 해오던 일에만 몰두하던 동료들이 더 그랬다. 그럴 때마다 떠오르는 한 가지 질문이 있었다. 바로 현대그룹 창업주인 정주영 회장의 질문이었다.

"이봐, 해보기나 했어?"

아버지가 소를 판 돈 70원을 훔쳐 가출한 정주영 회장은 자원과 기술이 없었던 이 땅에서 자체 기술로 독자 개발한 자동차 포니를 만들면서 자동차 강국으로 거듭나는 계기를 만들었다. 또 배를 만들어 본 적도 없으면서 영국 정부로부터 차관을 얻어 조선소를 짓고 배를 만들기 시작해 오늘날 대한민국은 조선업 강국이 되었다.

바다를 메꾸는 일이 불가능하다고 많은 사람들이 주장한 간척 사업을 큰 바위에 구멍을 뚫어 연결해 돌무더기를 퍼붓고, 스웨덴에서 사 온 폐선박으로 물길을 막아 여의도 면적의 33배나 되는 땅을 새롭게 만들어내면서 대한민국의 지도를 바꿨다. 불가능에 대한 그의 고집스러운 도전은 매번 경이로운 성공을 거두며 사람들에게 불가능한 일은 없다는 것을 스스로 증명해 보였다.

부정적인 생각에만 매달려 거부감이 큰 동료들에게 정주영 회장의 일화는 상당한 설득력이 있었다. 그래서 의견을 조율하고 설득할 필요가 있을 때면 긍정적인 생각을 할 수 있도록 정주영 회장의 일화를 소환하고는 했다. 어쩔 수 없이 해야 하는 일이라도 긍정적인 마음으로 시작하자는 당부와 함께 말이다. 그렇지만 나 역시 상사와 마주할 때면 동료들처럼 긍정적인 의견보다는 부정적인 의견부터 제시한 일이 많았던 것 같다. 반성이 필요한 부분이다.

출발점에서 '못 하겠다'와 '할 수 있다'의 마음가짐은 과정을 이어가고 결과를 만들어냄에 있어서 큰 차이를 보여준다. 새로운 일, 변해야 하는 일은 '할 수 있다'라는 마음으로 시작해도 무수히 많은 난관에 직면하게 된다. 때론 절망도 하게 되고 포기하고 싶다는 생각까지 들기도 한다. 그런데도 우리는 이를 악물고 견디면서 한

단계씩 과정을 이어 나가 최종 목표에 도달함으로써 성공을 이뤄내야 한다. 이렇게 이룬 성공은 높은 성취감과 자신감을 맛볼 수 있게 해 준다.

사람은 누구나 보이지 않는 많은 가능성을 갖고 있다. 부정적인 생각들은 이 가능성을 나 자신으로부터 멀어지게 만든다. 그러다 결국 아무것도 할 수 없는 미약한 존재로 만들어 버리고 만다. 우리는 의도적으로라도 스스로에게 나는 잘할 수 있다는 주문을 걸어야 한다. 그리고 나 자신을 굳게 믿어야 한다. 오늘도 나는 스스로에게 또다시 주문을 건다.

'넌 할 수 있어. 그게 무엇이든 잘할 수 있어.'

[Story 4] 내 옆의 사람들

오뚝이 선배

한때 우리 팀의 조직장이었던 선배와 나는 내 퇴직을 아쉬워하며 함께 일할 때 종종 찾아 소주잔을 기울이던 대폿집에서 조촐한 송별회를 했다. 오랜만에 만난 반가운 마음에 우리는 웃고 즐기는 시간을 만들어갔다.

선배와의 첫 만남은 실적 부진으로 인해 내가 속해 있던 팀이 해체를 앞둔 시점으로 거슬러 올라간다. 당시 선배는 우리 팀의 사업 모형을 벤치마킹하여 새로운 비즈니스 모델을 구상 중이었다. 팀이 해체 위기에 처하면서 팀원들의 타 부서 이동에 대한 이야기가 나올 무렵, 선배는 자신이 준비 중인 새로운 사업에 내가 동참해 주길 제안했다.

"엉과장, 내가 재미있는 일을 하나 준비하고 있는데 나랑 함께 미래를 꿈꿔보지 않을래?"

당시 팀이 해체되면 어떻게 될지 모른다는 불안한 상황에 놓여있었던 나에게 선배의 제안은 솔깃하게 다가왔다. 새로 준비하고 있다는 사업 이야기를 듣고 며칠 동안 밤낮으로 고민한 끝에 결국 선배의 제안을 받아들이기로 했다.

우리는 햇수로 3년이라는 긴 시간 동안 사업 모델에 대해 여러 번의 수정과 보완을 거듭했다. 그리고 임원들과 대표이사, 이사회 보고 등을 거쳐 최종 투자 승인을 받아내기에 이르렀다. 우리가 계획한 신규 사업을 본격적으로 시작할 수 있게 된 것이었다.

선배는 새롭게 구성된 팀에서 팀장을 맡으며 점차 팀원들을 하나 둘씩 늘려가기 시작했다. 그러나 사업을 시작한 지 일 년도 채 지나지 않았을 무렵, 회사는 우리 사업의 저조한 성과와 재무적 손실을 이유로 십여 명에 달하는 동료들을 다른 팀으로 방출시키는 조치를 단행했다. 이들 중에는 팀장인 선배도 포함되어 있었다. 저성과에 대한 문책성 인사였다. 어처구니가 없고 놀라울 수밖에 없는 조치였다. 신규 사업을 시작한 지 아직 일 년도 안 되었는데......

그 사건 이후, 남은 팀원들과 나는 살아남기 위해서 새로운 서비스를 시장에 알리는데 우리가 할 수 있는 전력을 다했다. 조금씩 시간이 흐르자, 우리 서비스에 대한 진정성과 효과성을 알아준 고객사가 하나둘씩 늘어나며 계약을 체결하기 시작했다. 이후 점차 많은 고객사를 확보하면서 십 년이라는 시간 동안 연평균 20% 이상의 꾸준한 성장을 창출해 냈다. 돌이켜보면 그때 조금만 빨리 좋은 성과를 창출했다면 팀장이었던 선배와 동료들이 팀을 떠나는 일은 없었을 것이라는 아쉬움과 안타까움이 남는다.

선배는 새로 배치된 팀에서도 한동안 힘든 시련의 시기를 보냈다. 비록 팀원으로 좌천되었지만, 그 누구보다도 생존 능력이 강했던 사람이었기에 그 힘들었던 시기를 잘 극복하고 상사로부터 능력을 인정받아 다시 한번 팀장의 자리에 올랐다. 이후 선배는 회사의 전반적인 시스템 인프라 혁신을 준비하는 중책을 맡으며 임원 후보로 거듭나게 되었다. 그의 일에 대한 강한 집념은 스스로를 다시 일으켜 세울 수 있는 근간이었고 쉬지 않고 노력하는 모습은 성장의 밑거름이었다.

그랬던 그가 또다시 시련을 겪기 시작한 것은 회사 인프라 혁신에 대한 준비가 끝나갈 무렵이었다. 프로젝트의 잘잘못 여부를 따지는 여론이 퍼지기 시작하더니 어떤 이유에서인지는 모르겠지만 결국 또다시 타 부서로 좌천되었다.

이제는 선배도 머리가 하얗게 센 정년퇴직을 앞둔 노장이 되었다. 그는 퇴직 이후의 삶을 준비하기 위해 또다시 새로운 꿈을 꾼다고 한다. 십 년이 넘도록 지켜본 선배는 매번 새로운 일에 도전했고, 이런저런 이유로 꿈을 이뤄보기도 전에 자리에서 밀려나야 하는 일들이 반복되었지만, 또다시 오뚝이처럼 우뚝 서고자 노력하는 그런 사람이었다.

지금, 이 순간에도 회사 생활에 최선을 다하며 새로운 도전을 준비하는 선배의 열정에 후배로서 감탄하지 않을 수 없다. 나 역시 아직은 미래가 불투명하지만, 훗날 멋진 모습으로 선배 앞에 당당하게 서고 싶은 마음이다. 언제가 될지는 모르겠지만, 선배의 또 다른 꿈이 꼭 이루어져 자신을 위한 멋진 날개를 펼치길 기대해 본다.

소소한 행복

반갑게 찾아 준 이가 있어 즐거웠던 하루

그 사람이 더할 나위 없이 가까운 사람이라 좋았던 하루

부끄럽지 않은 시간을 보내자고 다짐한 하루

솔로 예찬

오랜만에 절친인 초등학교 동창으로부터 연락이 왔다. 절친임에도 불구하고 그동안 서로 바쁘다는 핑계로 얼굴을 마주한 지가 오래된 친구였다. 어른이 되고 나서는 먹고 산다는 이유로 서로 얼굴을 보기가 쉽지 않았다. 서로의 삶에서 회사 생활이 가장 우선이다 보니 그러지 않았을까 싶다.

"너 퇴직했다며? 월급쟁이의 전형적인 표본이던 네가 갑자기 뭔 일이냐? 넌 묵묵히 회사에 충성하고 정년퇴직까지 할 줄 알았는데 말이야. 도대체 왜 그만뒀어? 무슨 일 있었어?"

내 퇴직 소식을 전해 들은 녀석이 깜짝 놀라며 질문을 쏟아냈다. 그도 그럴 것이 녀석은 평소에 나를 자신의 친구들 중에서 가장 직장 생활을 잘하며 안정된 가정을 꾸려가는 부러운 녀석이라고 주변 친구들에게 말하고는 했다.

그다지 특별하지도 않은 내 삶을 지극히 부러워하는 이 녀석은 어쩌다 보니 솔로 생활을 장기간 이어가고 있는 모태 솔로였다. 아직도 결혼을 하지 않았고, 집에서 혼자 하는 롤플레잉 게임을 좋아하며 수십 년 동안 클래식 기타를 목숨처럼 여기는 음악가이자 밤을 지새우며 가상화폐 투자에 열을 올리며 살아가고 있는 투자자이기도 했다. 일 년 전에는 인간이 사회적 동물로서 살아가는 존재임을 일깨워주는 조직 생활에 적응이 안 된다며 다니던 회사를 그만두고 자유롭게 혼자 일하는 프리랜서의 길을 걷기 시작했다. 이제는 혼자 사는 삶이 편하고 좋다는 자유로운 영혼이다.

"그러게. 그만둘 때가 되어서 그만뒀나 봐. 오랫동안 월급쟁이 생활을 해왔으니, 이번 기회에 나를 위한 일을 해봐야지. 아직 뭘 하겠다고 정한 것은 없어."

녀석의 물음에 구구절절 이유를 설명하는 것도 부질없는 것 같아 막연한 대답을 했다. 녀석은 자기가 먼저 회사를 그만둔 선배 실직자라며 그동안 지내왔던 자신의 실직 살이를 장황하게 늘어놓았다. 그러고는 격려의 말을 남기며 전화를 끊었다.

"나는 내 한 몸만 잘 간수하면 되지만, 넌 가족이 있으니 앞으로가 고민이긴 하겠다. 그래도 어차피 그만뒀으면 더 이상 미련

갖지 말고 잘 나왔다고 생각해 버려. 그리고 새롭게 인생을 시작한다 생각하고 네가 하고 싶은 일이 있으면 뭐든지 다 해봐. 이 때가 아니면 또 언제 해보겠냐? 조만간 소주나 한잔하자. 이 형님이 위로주 한 잔 살게."

녀석의 말대로 과거에 대한 미련은 떨쳐 버리고 앞날만 생각하며 전진해 나가는 것이 중요하다. 새로운 시작에 모든 가능성을 열어 놓고 나만의 인생을 만드는 것이 지금 내겐 무엇보다도 중요한 일인 것이다.

금수저와 흙수저

늦은 밤, 운동을 하러 헬스클럽에 가는데 대학 친구로부터 전화가 왔다. 한 달 만에 온 연락이라 우리는 반가운 마음으로 인사를 주고받았다. 이런저런 안부를 주고받던 중에 녀석은 잠시 후 분노와 억울함이 뒤섞인 목소리로 하소연을 하기 시작했다.

"나 회사 그만뒀다. 제기랄! 최근에 회장 아들이 경영진으로 합류했는데, 그 사람 하는 말이 몇 달 치 월급을 챙겨줄 테니까 그만 회사에서 나가라는 거야. 불과 며칠 전에 연봉 협상도 끝냈는데 말이야. 대체 이게 말이나 되냐?"

"뭐야? 갑자기? 완전히 어처구니가 없잖아. 회장 아들이면 아들이지, 사람을 그렇게 쉽게 해고하는 경우가 어디 있냐? 이유는 따져봤어?"

내 질문에 친구는 계속해서 분노에 가득 찬 목소리로 성토를 이어갔다.

"이번에 자기가 경영진에 새로 합류했으니, 회사의 분위기를 새롭게 바꿔야 한다나 뭐라나. 정리해고 대상에 내가 포함되었더라고. 내가 매우 싫은가 봐."

듣기만 해도 정말 이해할 수 없는 노릇이었다.

'아직도 이런 회사가 있구나!'

녀석이 다녔던 회사는 상가 임대와 운영 관리를 하는 곳으로, 대학을 졸업한 후부터 약 이십 년이 넘도록 몸담아 온 곳이었다. 그런 곳에서 한순간에 납득하기 어려운 이유로 회사를 그만둬야 했다. 친구의 말을 듣고 있자니 나 역시 분노가 더해졌다. 요즘 세상에 아직도 그런 회사가 있냐고, 금수저면 다냐고.

우리가 살고 있는 작금의 현실 속에서 상상하기 어려운 곳이 어디 한두 곳이겠는가? 회사는 오너의 소유물이며 구성원들은 작은 부속품으로 언제라도 회사에서 나가라고 하면 나갈 수밖에 없는 미약한 흙수저에 불과할 뿐이다. 이런 세상이 마음에 들지 않으면 금수저로 태어나야 하는데 아쉽게도 우리에겐 그런 선택권이 없다.

그냥 흙수저로 태어났으면 흙수저로 살아야 하는 운명을 받아 들여야 할 뿐이다.

녀석과 나는 한 시간이 넘도록 흙수저로 태어난 우리의 운명적 비애를 한탄하며, 다음에 만날 때는 소주나 한잔하자는 약속을 남기면서 전화를 끊었다.

회사를 그만두는 형태에도 명예퇴직, 권고사직, 정년퇴직 등 여러 가지가 있다. 적어도 짧지 않은 인생을 함께 한 회사라면 직원들이 아름다운 모습으로 회사와 이별할 수 있도록 배려해 주는 것이 인지상정 아닐까?

결혼 살이

나와 아내는 결혼한 지 이십여 년이 넘는 동갑내기 부부다. 군대를 제대한 직후 여자 사람 친구를 달달 볶아 소개팅을 하게 되었고 대학로 마로니에 공원에서 첫 만남을 갖게 되었다. 아담하고 작은 체구에 웃음이 많으며 상대방에 대한 깊은 배려심에 마음을 빼앗기고 말았다.

눈이 뒤집혔는지 겁도 없이 만난 지 3개월 만에 아내의 부모님을 찾아뵙고는 결혼을 허락해 달라며 넙죽 엎드렸다. 내 나이 이십 초반의 일이었다. 그 순간 부모님의 표정에는 황당함이 역력했다. 아버님께서는 딱 일 년만 사귀어 보고, 서로의 마음이 변함없다면 결혼을 허락하겠다고 약속해 주셨다.

우리는 일 년 동안 그 누구보다도 뜨겁게 사랑을 불태웠고 마침내 아버님과 약속한 일 년째 되는 바로 그날 아버님의 허락을 받아 결혼에 골인하게 되었다.

소꿉놀이 같던 신혼 생활이 한창이던 어느 겨울날, 결혼한 지 일 년도 채 되지 않았던 12월 중순에 첫째 딸이 태어났다. 첫째 딸의 출산 소식을 듣게 된 주변 사람들은 내게 얄궂은 질문을 이어갔다.

"혹시 너희들 결혼 전에 사고 친 거 아냐?"

아내와 나는 임신 개월 수까지 따져가며 의심의 눈길을 보내는 그들에게 우리 딸은 허니문 베이비라며 오랜 시간 동안 설득해야만 했다. 이십 대 중반의 어린 나이였던 나는 아빠가 되었다는 출산의 경이로움이 피부에 와닿지 않았다. 이 아이는 결혼한 첫날부터 항상 우리 부부 곁에 있었던 것 같았다. 아빠가 무엇인지도 모르고, 어떻게 해야 하는지도 모른 채 아무런 준비 없이 첫째 딸을 맞이하게 된 것이다. 나는 아빠가 처음이었고 너무 어렸다.

아내를 사랑하는 만큼 아이에게도 많은 사랑을 주며 열심히 키웠다. 그로부터 4년 뒤에 둘째 딸이 태어났다. 첫째 딸이 태어났을 때처럼 둘째 딸의 출산에도 특별한 감흥이 생기지 않았다. 이 녀석도 첫째처럼 처음부터 우리 가족의 곁에서 늘 함께 해왔던 것만 같았다. 우리가 결혼했을 때부터 마치 두 딸과 함께 가족을 이루고 있었던 느낌이었다. 다만, 둘째가 태어났을 때 변한 것이 있다면 첫째 딸을 키우는 4년 동안 나는 어설프게나마 아빠가 되어가는 훈련을 했다는 것이다.

이제는 성인이 된 두 딸을 볼 때면 녀석들이 갓난아기였을 때가 있기나 했을까 하는 생각이 든다. 이제는 두 녀석의 어린 시절이 아련한 추억으로 마음 한구석에 담겨 있다. 당시를 떠올려 보면 나란 사람은 아빠가 될 준비가 전혀 되어있지 않았고 아이들에게 부족함이 너무나도 많은 아빠였다. 아빠가 되는 교육 좀 받을 걸 그랬다.

이십여 년의 결혼 살이를 해오는 동안 나름 힘든 일들도 많았지만, 그 어떤 가정보다도 즐겁고 행복하게 살아왔다. 아내와 가끔 이런 대화를 나눈다.

"만약에 다시 태어나면 나랑 또 결혼할 거야?"

내 질문에 아내의 대답은 늘 한결같다.

"아니, 다시 태어나면 결혼 안 할 거야. 혼자 살 거야."

두 아이를 낳아 키우고 철없는 남편 뒷바라지를 하며 자신의 일을 해내는 것이 아내에게는 많이 힘들고 고된 일이었던 것이다. 그렇다고 아내의 대답에 서운함을 느끼지는 않는다. 어찌 되었든 이번 생은 나와 함께 마무리하고 싶다는 의미로 자의적인 해석을 해본다.

오늘도 우리의 소꿉놀이 같은 결혼 살이는 또 다른 추억을 만들어가고 있다.

추억이라는 것

나이가 들수록 가슴속에 담아두었던 추억을 꺼내 보는 일이 점점 늘어나는 것 같다. 친구들을 만날 때도 미래에 대한 기대나 희망보다는 과거 속에 담긴 그때 그 시절 함께 했던 우리들의 이야기를 더 많이 나누게 된다. 배낭을 둘러메고 무작정 여행을 떠났던 이야기, 이성과의 연애 이야기, 군대 이야기, 하루가 멀다고 찾았던 당구장 이야기, 강의실보다 더 많이 들락거렸던 호프집 이야기, 단잠을 자기 위해 드나들었던 도서관 이야기 등등......

특히, 대학 시절에는 동기에게 처음 당구를 배우기 시작하면서 강의 시간이 끝나면 불이 나게 달려갔던, 사장님이 퇴근할 때까지 살다시피 한 당구장에 얽힌 기억이 떠오른다. 그때 그 당구장 이름이 학사당구장이었는데, 학사 학위를 당구장 사장님으로부터 받지 않은 것이 다행스러울 정도였다. 그런데 왜 당구 실력은 좀처럼 늘지 않는지 아직도 미스터리한 일이다.

매일같이 페이스북은 '과거의 오늘'이라는 서비스로 하루도 빠짐없이 지난 과거의 기억들을 소환해 준다. 내 페이스북에는 주로 가족들과 함께 한 추억들로 채워져 있다. 특히, 아이들의 성장 과정을 하나하나 새롭게 다시 만나는 설렘을 선사해 준다. 지금은 기억이 가물가물하지만, 가족과 함께 한 여행의 추억, 놀이공원에서 놀이기구를 타며 괴성을 지르던 추억, 노래방에서 탬버린 소리에 흥겨워하던 어린 딸들의 춤사위가 담긴 추억, 맛있는 음식이 있는 곳이라면 어디든지 달려갔던 기억, 설레었던 딸들의 입학식과 졸업식 등 지금은 기억의 저편으로 멀어진 애틋한 추억들을 되돌아보게 된다. 그중에서 아이들이 처음 교복을 입고 찍은 사진은 다시 봐도 가슴 설레고 소중한 순간으로 다가온다.

동갑내기 친구 같은 아내와의 추억들도 소중하게 떠오른다. 하루는 문득 오래된 사진첩을 열어보다가 디지털 파일로 간직하고 싶은 사진이 있어 스마트폰으로 사진을 찍어 페이스북에 저장했다. 불타는 연애 시절 당일치기로 간 우리의 첫 번째 가평 여행에서 찍은 사진이었다. 페이스북은 일 년에 한 번씩 잊지 않고 이 사진을 보여주는데 아직도 내 가슴을 설레게 한다.

둘이 강가를 거닐던 기억, 어설픈 노질을 무릅쓰고 나룻배를 탔던 기억, 집으로 돌아오는 기차의 좌석표가 없어서 입석 표를 끊을 수밖에 없었고, 그래서 돌아오는 내내 미안한 마음에 아내의 눈을 마주 볼 수가 없었던 기억, 그런 내게 오히려 다리 아프지 않냐며 걱정스러운 표정과 함께 연신 소녀 같은 미소를 지어주던 아내의 얼굴……

순수함, 열정, 사랑이 가득했던 젊은 날의 추억들은 그 어떤 것과도 바꿀 수 없는 소중한 보물이다. 이제는 흰머리가 하나둘씩 늘어나는 중년이 되었지만, 아직도 내게는 행복한 추억들을 새롭게 채워갈 가슴속 빈자리가 많이 남아있다. 지금은 실직의 어려움을 겪고 있지만, 새롭게 시작하는 날들은 새로운 추억으로 차곡차곡 쌓아가고 싶다. 좋은 사람들과 함께하는 좋은 추억들을 만들어 갈 새로운 날들을 기대해 본다.

또 하나의 가족

우리 집에는 또 다른 가족인 반려견 세 마리가 함께 살고 있다. 가족들이 외출할 때면 세 녀석은 모두 현관 앞까지 따라 나와 꼬리를 힘차게 흔들며 잘 다녀오라고 인사를 한다. 귀가할 때도 가족들의 발소리를 귀신같이 알아듣고는 미리 마중을 나와 가족 한 명 한 명을 반갑게 맞이해 준다. 감정 표현이 지나치게 넘쳐나는 녀석들을 보는 것만으로도 마음이 흐뭇해진다.

첫째는 푸들 암컷으로 미미라고 부르는 녀석이다. 18살이 된 노견이지만 여전히 활기찬 에너지가 가득 차 있다. 항상 생동감 넘치게 여기저기 뛰어다니는 녀석의 모습을 보고 있으면 회춘한 것이 분명하다는 생각이 든다. 함께 산책을 나가면 녀석의 뒤를 따라다니기가 힘들 정도다. 그래도 늘 걱정스러운 녀석으로 항상 아프지 말고 건강하게 잘 지냈으면 좋겠다.

둘째 녀석은 슈나우저 암컷으로 쭈쭈라고 부른다. 세 녀석 중 가장 애교가 많아 가족들의 귀여움을 독차지한다. 나는 저녁 식사 후 거실 소파에 등을 기대고 앉아 TV를 보는 습관이 있는데, 녀석은 매일 이때를 놓치지 않고 내게 달려들어 두 앞발로 멱살을 잡으며 입술을 훔친다. 아내와 딸들에게도 쉽게 내주지 않는 이 비싼 입술을 아무렇지도 않게, 너무나 쉽게 훔치는 녀석이다.

마지막 막내는 믹스견 수컷으로 꼬맹이라 부르는 녀석이다. 덩치는 세 녀석 중에서 가장 크지만, 상대적으로 겁이 제일 많은 쫄보 녀석이다. 이 녀석이 우리 가족이 된 데에는 특별한 사연이 있다.

작은딸이 초등학교 2학년 때였다. 딸아이는 비가 내리는 하굣길에 어느 골목 담벼락 밑에서 혼자 떨고 있는 강아지 한 마리를 발견했다. 딸은 녀석과 함께 주인이 찾아오기를 한참 동안 기다렸다고 한다. 다 늦은 저녁이 되어도 보호자가 나타나지 않아 딸은 녀석을 품에 안고 집으로 데려왔다. 하룻밤을 재우는데 사람을 가리지 않고 어찌나 귀여운 짓을 많이 하던지 금세 가족들과 친해졌다.

다음 날, 우리는 녀석을 집 앞 동물병원으로 데려가 유기견 신고를 했다. 동물병원 원장님은 녀석의 사진과 함께 보호자를 찾는다는 전단을 만들어 동물병원 쇼윈도에 붙였다. 원장님은 보호자가 나타나지 않으면 녀석을 유기견 센터로 보낼 수밖에 없고, 센터 입소 후 일주일 동안 주인이나 입양자가 나타나지 않을 경우 안락사에 처한다고 말했다.

며칠 후 동물병원 원장님으로부터 녀석이 유기견 센터에 보내졌다는 연락을 받았다. 녀석이 걱정스러웠다. 우리는 수시로 유기견 센터에 전화를 걸어 녀석이 밥은 잘 먹는지, 주인이나 입양할 사람이 나타났는지 계속해서 확인했다. 특히, 작은딸이 안절부절못하였다. 센터 담당자는 녀석이 한쪽 구석에서 엎드린 채로 밥도 안 먹고 힘없이 풀이 죽어 있다고 했다. 보다 못한 우리 가족은 긴 회의 끝에 힘들겠지만, 녀석을 셋째로 입양해 키워보자는 결정을 내렸다. 입양을 결정한 다음 날, 우리는 유기견 센터에 전화를 걸어 녀석을 입양하겠다는 뜻을 전하고 입양 조건에 대한 상담을 받은 후 방문 일정을 잡았다.

녀석과의 재회는 센터에 입소한 지 일주일이 지난 후였다. 단지 하룻밤의 기억이었을 뿐인데 녀석은 신기하게도 센터에 방문한 우리 가족을 바로 알아차리고는 작은 솜뭉치가 쉴 틈 없이 굴러다니듯 반갑게 웃으며 센터 사무실을 활기차게 뛰어다녔다. 센터 담당자도 녀석이 이렇게까지 반가워하며 정신없이 뛰어다닐 줄은 상상하지도 못했다고 말했다. 입양 절차를 마치고 녀석과 함께 집으로 향하는 차 안은 온기가 넘쳐났다. 녀석은 그렇게 우리 가족이 되었다. 벌써 십여 년 전의 일이다.

오늘 아침에도 공유 오피스로 출근하기 위해 현관문을 나서는데 아내와 함께 세 녀석이 어김없이 꼬리를 힘차게 흔들며 따라와 배웅을 해주었다. 퇴근 후 집에 들어갈 때도 녀석들은 미리 마중을 나와 집에 들어서는 내 모습을 보며 기쁘게 맞이해 줄 것이다. 매일 집안을 다다다다 시끄럽게 뛰어다니는 말썽꾸러기 녀석들이지만 우리 가족과 평생을 함께 할 또 하나의 가족이다.

브라더스

같은 팀에서 만나 오랜 시간 동안 함께 근무한 성씨가 같은 3인의 용자가 있었다. 신규 사업팀이라 할 일도 많고 야근도 많았기 때문에 회사에서 함께 붙어있는 시간 또한 많았다. 시간이 흐를수록 우리는 수많은 일들을 함께 이뤄내며 서로에게 힘이 되는 막역한 사이로 발전했다. 각자가 다른 성향이지만 회사 동료들은 성씨가 같고 매일 붙어 다닌다는 이유로 우리를 브라더스라고 불렀다. 내게는 두 명의 브라더스가 형님들이다. 지난 퇴직에서 한 브라더는 나와 함께 회사를 떠나왔고 나머지 한 명은 회사에 남았다.

오늘은 퇴직 후 처음으로 우리 브라더스가 뭉친 날이었다. 보쌈과 막걸리는 우리의 반가운 마음에 한층 흥을 돋우어 주었고, 먹태와 생맥주는 나누지 못했던 이야기들의 깊이를 더해 주었다. 회사에 다닐 때는 이런 자리가 자주 있었는데 각자의 길을 걷는 지금은 이 같은 자리가 뜸해져 아쉬움이 크다.

회사에 남은 브라더는 회사를 떠난 두 브라더스가 무엇을 하며 지내는지 무척이나 궁금했고, 회사를 떠난 우리 브라더스는 회사에 남은 브라더의 일상과 회사 소식이 궁금했다. 나는 회사를 나오니 그동안 한없이 나를 짓누르고 있던 스트레스로부터 해방되어서 하고 싶었던 일들을 하며 잘 놀고 있다고 근황을 전했고, 회사에 남은 브라더는 회사를 떠난 동료들이 많아 여전히 혼란스러운 날들이 계속되고 있다고 말했다. 안정을 되찾기까지는 아직 시간이 더 필요해 보였다. 퇴직으로 인해 많은 사람들의 자리가 비었고 새로운 사람들이 그 빈자리를 채우며 조화를 이룰 시간 필요할 것이다.

우리 브라더스는 서로를 미소 짓게 하는 정겨운 사람들이다. 특히, 어려울 때일수록 서로에게 힘이 되어 난관을 이겨낼 수 있었고, 그래서 회사 동료들이 때로는 부러워했던, 때로는 시기했던, 뜨거운 열정이 충만한 용자들이었다. 그랬던 우리가 이제는 각자의 길을 걷기 시작했다. 앞으로 우리 브라더스의 미래가 어떻게 펼쳐질지는 아무도 모른다. 오직 신만이 아시지 않을까?

우리는 마지막 잔을 기울이며 예전처럼 곁에서 힘이 되어 줄 수는 없지만 마음만은 늘 함께하는 브라더스로 남자고 다짐했다. 또 언제 이 용자들이 모일 수 있을지 모르겠다.

아버지의 일곱 번째 수술

2022년 8월 아버지께서는 집 현관에서 쓰러지시는 사고로 고관절 수술을 받으셨다. 하필이면 7년 전 교통사고로 3차례나 수술을 받으신 부위 바로 옆이었다. 노인들에게는 고관절 수술이 매우 어렵고 위험한 수술이라고 알려져 있다. 그래서 노인들은 어디에서든 항상 넘어지지 않도록 안전에 주의를 기울여야 한다.

퇴원 후 1년 남짓한 시간이 흐른 외래 검진 날, 아버지의 수술 부위에 대한 엑스레이 검사 결과가 좋지 않았다. 담당 의사는 즉시 입원하여 추가적인 검사를 받은 후 다음 날 바로 수술을 하자고 했다. 그리고 상태가 더 악화될 경우 생명이 위험할 수도 있다고 했다.

갑작스러운 의사의 소견에 아버지와 나는 서로 말을 잃은 채 충격에 휩싸였다. 아버지께서는 매사에 조심스럽게 행동하시면서 수술 후 1년 동안 재활에 최선을 다해오셨는데, 놀랍고 당혹스러운 일이었다. 그길로 아버지는 다시 입원하셨고 수술을 위한 각종 검사를 받으셨다.

다음 날 오후, 아버지는 인공 관절로 교체하는 수술을 받으셨는데 팔십 대 중반의 연세에 건강상으로나, 체력적으로 많이 부담스럽고 어려운 수술이었다. 다행스럽게도 3시간이 넘게 걸린 수술은 성공적으로 마무리되었고, 지금은 떨어진 기력을 회복 중에 계시며 내일부터는 재활 치료도 시작하게 될 것이다.

아버지께서 칠십 대 중반 이후로 2번의 암 수술과 5번의 고관절 수술 등 총 7번의 큰 수술을 받으셨다. 어릴 적 내 기억 속 아버지는 언제나 건강하시고 활력이 넘치셨으며 병원은 문턱도 건너지 않으셨던 분이셨다. 내가 중학교를 졸업하기 전까지도 아버지와 팔씨름을 할 때면, 아버지께서는 검지와 중지 손가락만으로 날 상대하셨는데 난 단 한 번도 아버지를 이길 수가 없었다. 그랬던 아버지께서 이제는 여러 차례의 큰 수술로 힘든 노년의 날들을 보내고 계신다. 깡마른 백발노인의 모습으로 병실 침대에 누워 계신 아버지의 모습을 볼 때면 가슴이 울컥하고 메어온다.

이번에도 잘 이겨내시고 빨리 기력을 회복하셨으면 좋겠다. 아버지, 힘내세요!

죽마고우의 실직 소식

죽마고우인 친구와 저녁 식사를 했다. 이 친구 밥 먹다 말고 대뜸 한다는 말이 회사에서 해고 통보를 받았다는 것이다. 젊은 후배들에게 자신의 자리를 내줘야 하는 상황이라고 한다. 이미 같이 근무하던 비슷한 연령대의 다른 동료들은 후배들에게 자리를 내주고 회사를 떠났으며 그나마 자신은 오래 버티고 있는 것이라고 했다.

벗들의 퇴직 소식이 이어지는 걸 보면 이제는 우리 나이가 직장에서 버티기에 쉽지 않은 나이인 것만은 분명해 보인다. 서글프고 착잡하고 씁쓸한 마음이 밀려왔다.

이 친구와 친해진 것은 대학교 1학년 신입생 OT 때 같은 조가 되면서부터이다. 대학 생활 내내 붙어 다녔고 군대도 같은 시기에 다녀왔으며, 연애와 결혼도 같은 시기에 했다. 꼭 약속이라도 한 것처럼 말이다. 삶의 순간순간을 함께 해온 막역한 사이라 서로가 서로를 너무나 잘 알았다. 그 세월이 벌써 30년이다. 그러고 보니 실직도 같은 시기에 하게 되었다. 정말 죽마고우가 따로 없다. 이 무슨 조화인지......

친구의 첫째 아들은 대학 입시생이고 둘째인 딸은 이제 막 중학생이 된지라 모두 만만치 않은 교육비가 들어갈 시기이다. 친구는 이 같은 상황에서 회사를 나와야 한다는 현실에 좌절감과 막막함으로 밤에 잠을 이루지 못한다고 했다. 친구의 하소연을 듣는 내내 가슴이 먹먹해져 왔다. 우리는 상실감에 한동안 말을 잇지 못했다. 서로에게 그 어떤 위로의 말도 할 수 없었다.

우리 실직자들은 불과 몇 달 전까지만 해도 안정된 직장에서 성실하게 맡은 일을 해내며 월급이라는 보상을 받고, 행복한 가정을 꾸려가고 있었다. 그러던 어느 날 불쑥 찾아온 퇴직으로 우리의 삶은 하루아침에 무너져 내렸다. 충격과 혼란에 휩싸였고 아픔과 불안이 우리의 삶을 파고들었다. 시간이 흐를수록 실직자에게는 먹고 사는 현실의 혹독함만 더해간다. 그리고 보이지 않는 미래에 대한 두려움이 한없이 커져만 간다. 당연하게 여겼던 삶의 하나하나가 이제는 당연하지 않은 것들이 되어가고 불안함과 무력함만이 자리를 차지해 간다.

그렇다고 언제까지 이 어두운 현실 속에서 허우적거릴 것인가. 쥐구멍에도 볕 들 날이 있다고 했다. 우리가 처한 실직의 아픔은 어쩌면 다른 도약을 위한 일시적인 정체 상황일지도 모른다. 새로운 기회로 다시 일어설 수 있도록 스스로 길을 찾아야 한다. 아무것도 하지 않으면 아무 일도 일어나지 않는다. 그리고 매일 스스로에게 질문해야 한다.

'이 상황을 벗어나기 위해 난 오늘 최선을 다했는가?'

친구와 난 위로의 마음으로 서로의 어깨를 토닥이며 각자 가족이 기다리는 집으로 향했다. 길고 침울한 밤이 마음을 더욱 무겁게 만든다.

사촌 여동생의 결혼식

지난 주말에는 사촌 여동생의 결혼식이 있었다. 녀석은 마흔이 다 된 나이가 되어서야 제짝을 만나 시집을 가는 늦깎이 신부였다. 보아하니 매제가 될 사람도 늦깎이 신랑인 듯했다. 그들의 화려한 결혼식을 바라보고 있으니 이십여 년이 흘러간 아내와의 결혼식이 떠올랐다. 아내에게 조용히 물었다.

"저 때가 그립다. 그렇지?"

오랜만에 친척 어르신들을 만났다. 아내와 함께 한 분 한 분께 안부 인사를 드렸다.

"안녕하세요? 그동안 잘 지내셨지요? 건강은 어떠세요?"

마주하는 어르신마다 한결같이 물으셨다.

“그래, 오랜만이다. 늙으니 여기저기 안 아픈 데가 없어. 너도 잘 지내지? 회사는 잘 다니고?”

“아, 네~~~. 잘 다니고 있습니다.”

순간 어떻게 대답을 드려야 할지 망설이는 내 모습을 발견했다.

‘재수생이나 취준생들이 왜 집안 모임에 가기를 꺼리는지 알겠네.’

그 잠깐의 순간이 당혹스럽고 곤혹스러웠다. 반백살의 나이에 직장도 없이 놀고 있다고 대답할 수도 없는 노릇이었다. 그래서 대충 얼버무리고는 황급히 어르신들과 마주하는 자리를 피해야만 했다. 이것은 자격지심이었다.

잠깐이었지만 어르신들께서 물으시는 안부에 적당한 답변을 미리 준비했어야 했는데 아무런 생각 없이 그분들을 마주한 것이다. 직장도 없는 실직자가 말이다. 누가 보더라도 별것 아닌 상황이었지만 그 순간만큼은 나 자신이 너무 바보스럽게 여겨졌다. 미안한 마음에 아내의 얼굴도 똑바로 바라볼 수가 없었다. 아내와 함께 급하게 식사를 마치고 집으로 돌아왔다.

'그래, 난 잠시 휴식을 취하고 있는 거야. 언제까지 실업자로 남을 건 아니잖아? 너무 자책하지 말자.'

결혼식장에서 있던 일로 잠이 오지 않는 나 스스로를 위로했다. 난 잘될 것이고 미래는 분명히 밝을 것이라고……

스트레스 해소법

즐겨듣던 노래 소리 지르며 따라 부르기

하루 종일 액션영화 보기

맛집에서 제일 맛있는 음식 먹기

불알친구들 만나 술 마시며 수다 떨기

땀 흘리며 운동하고 뜨거운 물에 샤워하기

마지막 최후의 방법은 혼자 거울 보며 소리 지르고 화내기

밥 잘 사주는 예쁜 형님

교육 사업에 처음 몸담았을 때 함께 근무했던 형님으로부터 카톡 메시지가 왔다. 다음 주에 소주나 한잔하자는 것이었다.

"형님, 무슨 일 있어요?"

"무슨 일이 있어야만 하냐? 그냥 얼굴 한번 보자는 거지."

"네, 형님. 그럼 다음 주에 봐요."

퇴직 전 두세 달에 한 번 정도 연락하고 지냈던 형님이 내가 퇴직한 이후로는 한 주에 한 번씩 잘 지내냐고 안부를 물어오고 한 달에 두세 번씩은 밥을 사준다. 형님의 사소한 말 한마디가 고맙게 다가온다.

“내가 아니면 누가 널 챙기겠냐?”

부모님께는 종종 이런 말씀하셨다.

“사람은 어려울 때일수록 더 들여다보고 챙겨줘야 한다.”

오히려 이 형님이야말로 내 부모님의 말씀을 행동으로 옮기고 있는 몇 안 되는 사람이다. 때로는 과격해 보이지만 때로는 온화해 보이는 극과 극을 달리는 사람이지만 그는 어려운 상황에 놓인 후배들을 외면한 적이 없다. 그는 항상 진심이었다.

약속한 날이 다가와 형님을 만났고 우리는 먹음직스러운 족발과 함께 시원한 소맥으로 목을 축였다. 형님은 밥 잘 사주는 예쁘지 않지만 예쁜 형님이다. 항상 그래왔듯이 지난날들의 추억에 대한 이야기, 현재 다니고 있는 회사 생활, 잠깐 동안 실직했던 시절의 이야기, 인생 선배로서의 당부 등으로 우리의 시간은 채워져 갔다.

이십 년이 넘는 시간을 만나 온 형님이지만 겉모습도, 생각도, 말 한마디도 그 어느 것 하나 변함없이 한결같다. 어떤 사람은 많은 것들이 변하여 마주하기가 불편할 때가 있지만, 이 형님과의 만남은 언제나 익숙하고 편안하다. 내일도, 다음 달도, 내년에도 그럴 것이다. 나도 후배들에게 형님과 같은 사람이 될 수 있으면 좋을 것 같다는 생각이 든다.

그러고 보니 이젠 형님도 정년퇴직이 얼마 남지 않았다. 형님, 꼭 정년퇴직하세요.

큰딸의 수술과 집안일

얼마 전 큰딸이 어깨 근육 파열로 수술을 받았다. 테니스와 관련된 웹콘텐츠의 배우로 참여하면서 처음으로 테니스를 배우게 되었는데 평소 과격한 운동과는 거리가 멀어서인지 어깨 근육에 손상이 오고 말았다. 녀석은 단순히 어깨 근육에 무리가 간 것이라는 동네 정형외과 의사의 소견에 따라 꾸준히 물리치료와 약물 처방을 받아 왔다. 하지만 상태가 호전되기는커녕 점차 통증이 심해졌다.

녀석의 지인 중에 한 명이 자기도 비슷한 증상으로 치료를 받아 좋아졌다며 병원을 소개했다. 현재 다니고 있는 병원보다 규모도 크고 전문성이 있어 보이는 병원이었다고 한다. 특히, 운동선수들이 부상으로 치료를 받으러 온다는 이야기에 안심되었다. 엑스레이, MRI 등 여러 가지 검사를 받은 결과로 큰딸에게는 수술이 필요한 상황이라는 것을 알게 되었다. 몇 달 동안 어깨 통증에 고생을 많이 한 녀석은 처음부터 작은 동네 병원이 아닌 크고 전문적인 병원에서 진료를 받았어야 했다. 녀석은 동네 병원의 의사 말을 믿고 물리치료만 받아온 자신이 어리석었다며 스스로를 자책했다.

큰딸은 수술 후 일주일 동안 입원을 해야 했고 아내가 간병을 했다. 비록 일주일이지만 우리 가족이 이렇게까지 떨어져 지내는 일은 처음이었다. 나는 작은딸과 함께 그동안 아내가 해왔던 집안일을 담당하게 되었다. 우리는 밥을 짓고 음식을 만들며 설거지와 빨래, 청소 등을 하며 아내의 빈자리를 메꿔야만 했다. 집안일은 해도 해도 그 끝이 보이지 않았다. 하나의 일을 마치면 또 다른 일이 생겼고 이것들은 하루하루 끝없이 반복되었다.

"그동안 엄마가 많이 힘들고 지겨웠겠다."

"맞아. 이젠 나도 엄마 일을 좀 도와야겠어."

나와 작은딸은 일주일 동안 집안일을 하며 그동안 우리가 했던 집안일이 얼마나 작은 부분이었는지를 반성했다. 묵묵히 자신의 일과 집안일까지 불평 없이 해왔던 아내에게 미안한 마음이 들었다.

가족들과 떨어져 지내는 시간이 쉽지 않았다. 작은딸도 하루 종일 일을 하고 퇴근해 집에 오면 지쳐 쓰러지기 일쑤라 무엇인가를 같이 할만한 시간이 많지 않았다. 아내와 큰딸이 없는 집안은 하염없이 고요하고 적막하기만 했다. 혼자 잠자리에 들어야 할 때면 아내의 빈자리에 외로움마저 들었다. 이런 내게 큰딸은 말한다.

"아빠는 혼자서는 절대로 못사는 사람이야."

나 역시 백 퍼센트 공감이 가는 말이다. 나라는 사람은 혼자서는 살 수 없는 사람이라는 것을......

다행스럽게도 수술 경과가 좋아 큰딸은 병원에 통원하며 도수치료와 물리치료를 받으며 회복 중이다. 이번에 큰딸의 수술을 겪으면서 아내의 집안일이 얼마나 고된 일인지, 내 역할이 얼마나 부족했는지, 또 내가 얼마나 외로움을 많이 타는 사람인지, 가족이 얼마나 소중한지를 다시 한번 깨닫게 되었다. 가족에게 더 잘해야겠고, 특히 집안일을 좀 더 많이 해야겠다.

퇴직 후유증

모처럼 회사를 함께 퇴직한 선배로부터 전화가 왔다.

"요즘에 꿈자리가 뒤숭숭해. 회사 동료들과 격렬한 토론을 하는 꿈을 자주 꾸고 있어."

이것이 퇴직 후유증의 전조 증상인가? 회사에 다닐 때 선배는 조직장으로서 팀원들과 많은 회의를 했었고 다양한 주제로 열띤 토론을 자주 했었다. 아마도 그때의 기억들이 꿈에 나타난 것이 아닐까?

"회사 생활이 그리운 건 아닐까요?"

"그래서 그런가?"

선배에게 말도 안 되는 질문을 던졌다. 가끔 선배도 회사 생활을 그리워할까? 한동안은 선배에게 퇴직 후유증이 종종 나타나지 않을까 걱정이 된다. 선배에 비하면 난 참 무딘 사람인가 보다. 아직 단 한 번도 선배처럼 회사와 관련된 꿈을 꿔 적이 없다. 회사 생활을 하는 동안 받아왔던 스트레스가 너무나 싫었기 때문일까?

"선배, 난 허전함과 외로움이 있는 것 같아요. 회사에서 그 많은 사람들과 함께 어울리며 이 일 저 일을 해왔는데 지금은 개인적으로 만나는 몇몇 사람들과 가족들이 만나는 사람의 전부네요."

"나도 그런 것 같아. 이제는 만나는 사람들이 한정되네."

우리가 공통적으로 느끼는 퇴직 후유증은 허전함과 외로움이었다. 매일 정신없이 밀려들던 일이 없어졌고 사람들과 뒤섞여 논쟁할 일 또한 없어졌다. 공허했다.

퇴직을 하니 회사라는 울타리와 사회적 지위도 없어지고 인연의 끈도 멀어지게 되었다. 자연스럽게 말벗도 줄어들어 마음 둘 곳이 없는 허전함을 느끼게 되었고 이는 가슴 한구석에 큰 구멍이 난 것처럼 외로움으로 다가왔다. 세상에서 나라는 존재가 더없이 작게만 느껴진다. 이러한 상황이 길어지는 것은 좋지 않다는 것을 잘 알고 있지만 아직 마땅한 해결책을 찾지 못하고 있다.

주위 사람들은 퇴직 후유증을 이겨내기 위해서는 직업을 갖거나 일을 시작해야 한다고들 말한다. 나 역시 내가 할 수 있는 일을 새롭게 시작하고 싶고, 함께 하는 동료들도 곁에 두고 싶다. 하지만, 이 같은 기회를 만들기가 쉽지 않은 현실이다.

선배와 난 퇴직 후유증을 이겨내기 위해서라도 일이라는 것이 필요한 것 같다. 그리고 지금은 서로에게 힘이 되어주는 사람이 될 필요성이 있어 보인다.

'그래, 주위 사람들에게 힘이 되어주는 사람이 되자.'

난 나 자신에게 또 하나의 역할을 부여했다.

생각나는 사람들

문득문득 기억 속에서 회사 생활을 하나씩 꺼내다 보면 함께 일했던 세 명의 선배가 눈앞에 아른거린다. 이들은 모두 내 조직장들이었고 친밀한 관계였으며 많은 가르침을 주었던 사람들이다. 이들이 있었기에 힘들었던 시련의 혹한기들을 잘 이겨냈었다.

한 선배는 사업 철수에 따라 내 의지와는 무관하게 소속된 팀에서 허우적거리고 있던 날 흔쾌히 자기 팀에 받아 준 사람이다. 그는 호탕한 성격과 함께 술과 인간관계를 즐겼지만 때로는 무척 고집스러웠다. 근무하면서 종종 새벽녘까지 함께 술을 마시기도 했지만 그 시간들은 즐겁고 재미있게 일한 순간들의 연속이었다. 그리고 그와 함께 일하면서 처음으로 조직장이 되는 기회를 얻기도 했다. 내겐 너무나 고마운 일이었다. 하지만 두 해 정도 함께한 뒤, 내가 맡은 사업이 확장되면서 다른 부서로 조직이 이동하게 되어

그와는 이별을 하게 되었다.

또 다른 선배는 또다시 내가 속한 팀이 해체될 무렵 나를 찾아와 자신과 함께 새로운 꿈을 꾸자며 같이 일해보자고 제안을 해왔던 사람이다. 그와 함께 여러 날을 지새우며 신규 사업에 대한 기틀을 마련했다. 참 꼼꼼하고 생각이 많으며 돌다리도 두드려보고 건너는 신중한 사람이었다. 힘들지만 보람되고 재미있는 시간을 보낼 수 있었고, 그러한 경험들이 많은 성장을 이끌어냈다. 하지만, 이 선배 역시 사업 초창기에 부진한 성과를 이유로 다른 부서로 발령을 받아 이별을 하게 되었다.

마지막 선배는 내가 이 회사로 이직한 후 처음 배속된 팀에서 함께 팀원으로 일한 친밀한 관계의 사람이다. 퇴직하기 전 마지막으로 몸담고 있던 팀의 팀장이었고 퇴직의 길도 나와 함께 했다. 독특한 면이 있는 선배로 마치 조선 시대 선비를 연상하게 하는 매력을 지니고 있었다. 신중하면서도 포용적이고, 때로는 저돌적인 성격의 소유자였다. 함께 일하는 동안 다양한 성과를 이뤄냈고 새로운 도전에도 적극적으로 나섰다.

회사 생활을 하는 동안 내게 성장의 기회를 주었던 고마운 선배들이다. 퇴직 후 자주 연락하지 못하고 지내는 나 자신을 질타해본다. 함께 일할 당시에는 내 조직장이었지만, 이제는 인생 선배로서 그들과 더 많은 대화와 생각을 나누며 지내야 하지 않을까 싶다. 앞으로 남은 인생의 여정도 선배들과 함께하며 아직도 많이 부족한 삶의 철학을 배워 나가야겠다는 생각이다. 이 인연의 끈이 오래오래 이어지길 바란다.

[Story 5] 새로운 도전의 시작

불쏘시개

회사 생활을 하는 동안 절친이었던 두 명의 선배를 만났다. 퇴직 후 처음으로 함께 한 자리였다. 과거 한 팀에서 근무한 적이 있는 사이로 지금은 모두 회사를 떠나 각자의 길을 걷고 있는 사람들이다. 우리는 반가움과 함께 각자의 사는 이야기를 나누며 술잔을 기울이기 시작했다.

한 선배는 소설을 쓰고 있다고 한다. 예전부터 소설을 쓰고 싶었는데 바쁜 회사 생활로 생각만 해오다가 퇴직을 하고 나서야 비로소 글을 쓰기 시작했다는 것이다. 생각해 보면 선배는 늘 책을 가까이했던 것 같다. 사무실 책상에는 항상 책들로 넘쳐났고 매번 새로운 책들이 추가되었다. 회의 시간에는 종종 회의 내용과 관련된 도서를 추천하며 해박한 지식을 공유하기도 했다. 또 책을 쓴 작가들의 배경에도 정통한 지식을 지녔다. 퇴직 후 선배는 평소 그가 원했던 도전을 시작한 것이다.

또 다른 선배는 회사에서 콘텐츠 영업을 담당했었는데 퇴직 후에도 여전히 많은 사람들을 만나며 다양한 콘텐츠에 관한 이야기를 나눈다고 한다. 재직 시절 선배는 매일 사람들에게 콘텐츠를 소개하고 계약하는 일을 회사의 일이 아닌 자신의 일처럼 즐겼던 사람이다. 퇴직 후에도 꾸준하게 사람들을 만나며 새로운 삶의 길을 모색하고 있다고 한다.

선배들의 사는 모습을 듣고 있자니 나만 별 볼 일 없이 시간을 허비하고 있는 것 같아 부끄러웠다.

'난 바보같이 뭐 하고 있는 거야?'

나보다 나이도 많고 직장 생활도 오래 한 선배들인데도 여전히 새로운 미래를 만들어가기 위해 노력을 게을리하지 않는 모습에 충격과 감동을 받았다. 반면, 매일 외딴섬에 갇힌 것처럼 공유 오피스 한 귀퉁이에 자리를 잡고 앉아 신문 기사와 주식 창만을 열어보며 아까운 시간을 보내는 내 모습을 자책했다.

문득 이런 생각이 들었다.

'우리 셋이 함께 모여 일을 해보는 것이 어떨까?'

나는 바로 선배들에게 의견을 물었다.

"한 명은 콘텐츠를 만들고, 한 명은 콘텐츠를 영업하고, 난 교육을 오랫동안 해왔으니 우리가 함께 모이면 뭔가를 해볼 수 있지 않을까요?"

"그래. 우리가 모이면 분명히 할 수 있는 일이 있을 거야."

선배들은 콘텐츠를 사업 아이템으로 삼아 함께 일을 해보자며 긍정적인 대답을 했다. 어느덧 우리의 술자리는 사업 계획을 구상하는 자리로 변했고 서로가 생각의 고리를 엮어가기 시작했다.

"우리 교육 사업을 하자. 콘텐츠를 만들 수 있고, 영업을 할 수 있고, 교육과정을 개발해 운영할 수 있는 역량들이 있으니까 우리가 자신 있게 할 수 있는 교육 사업을 해보는 게 어때?"

너무나 갑작스럽게도 우리가 모여 도전할 방향이 설정되었다. 마치 도원결의라도 한 듯이 새로운 일에 대한 열정의 불씨를 피웠고 설레는 가슴으로 곧 후속 회의를 하자며 자리를 마무리했다.

매일같이 고민과 걱정 속에서 앞이 보이지 않았던 내 생활에 갑작스럽게 번뜩이는 빛이 비친 것만 같았다. 그 빛은 너무나 밝고 환하게 다가와 우리에게 과거 함께 했던 역전의 용사들이 다시 뭉칠 수 있는 좋은 기회를 만들어 주는 것만 같았다. 혼자만의 생각이었는지는 모르겠지만, 내 안에는 선배들과 함께 새롭게 도전하고 싶은 욕망과 열정이 불붙기 시작하고 있었다.

희망을 키우는 공간

선배들과 두 번째 회의를 시작했다. 그사이 우리는 전화에 불이 나도록 사업 아이템에 대한 서로의 생각을 나누었다. 이번 회의는 우리가 함께 사용할 공간을 마련하기 위함이었다. 이미 공유 오피스를 이용하고 있는 내 의견에 따라 새로운 둥지를 공유 오피스에 틀기로 했다.

회의가 있기 전 사전 조사를 통해 우리가 원하는 조건에 적합하고 바로 입주가 가능한 곳들을 물색해 리스트를 만들었다. 무엇보다도 중요한 조건은 교통이 편리하고 출퇴근에 부담이 적은 위치여야만 했다. 우리는 카페 한구석에 모여 앉아 리스트를 보며 다시 한번 서로의 생각과 의견을 나누었다. 최종적으로 의견이 모인 곳은 합정역 근처에 위치한 가성비 높은 곳이었다. 우선 전화로 기본적인 상담을 한 후 필요한 자금 계획을 재차 확인하고 입주 상담을 위해 발걸음을 옮겼다.

공유 오피스가 자리 잡고 있는 건물은 1979년에 지어진 오래되고 낡은 건물이었다. 바로 길 건너 대형 빌딩에 위치한 다른 공유 오피스와 비교해 보면 한없이 작고 초라하기만 했다. 산업화 시대의 서울을 상징하는 유물처럼 보였다. 내부는 겉보기와 다르게 회의실과 접견용 테이블, 서가에 꽂힌 책들로 아늑하게 꾸며져 있었다. 개인이 이용할 수 있는 자유석과 고정석, 그리고 여러 명이 사용할 수 있는 독립된 사무 공간이 별도로 마련되어 있었고, 무료 음료와 인터넷, 팩스, 복합기 등 업무에 필요한 모든 시설이 갖추어진 최적의 공간이었다.

우리는 담당 매니저와 상담을 거쳐 독립된 공간인 3인실을 이용하기로 결정하고 우선 6개월간의 이용 계약을 체결했다. 매니저는 우리가 사용할 공간을 안내해 주었다. 그 작은 공간에도 책상과 의자, 화이트보드, 냉난방기 등이 아기자기하게 잘 갖추어져 있었다. 셋이 지내기에 오붓한 공간이었다. 특히, 햇빛이 환하게 드는 넓은 창문이 마음에 들었다. 다른 공간들은 사면이 모두 막혀있어 햇빛이 전혀 들지 않았다.

매니저의 안내가 끝나자 곧장 우리는 책상과 의자를 재배열하고 청소를 하기 시작했다. 드디어 우리 셋을 위한 둥지가 마련된 것이다. 청소가 끝난 후 각자 원하는 자리에 앉아 만족스러운 미소를 나누었다. 비록 퇴사한 회사처럼 웅장하고 화려한 공간은 아니지만, 우리가 함께할 수 있는 보금자리가 생겼다는 것이 흐뭇했다.

"우리 이곳을 시작으로 점점 더 큰 공간으로 옮겨가도록 해보자. 함께 할 식구들도 늘려가면서 말이야."

선배의 말에 막연한 희망과 긍정의 에너지가 우리 주위를 감싸기 시작했다. 미래가 어떻게 전개될지는 알 수 없지만, 우리는 이 공간에서 조급해하지 않고 하나씩 꼼꼼하게 준비하는 시간을 만들어 갈 것이다.

사업 계획 만들기

새롭게 사무실을 마련한 우리는 앞으로 어떤 일을 할지, 어떻게 진행할지, 어떤 결과물을 만들지에 대한 심도 있는 논의를 시작했다. 사업 계획이라는 것을 만들기 시작한 것이다. 각자가 생각하는 방향들을 정리해 보니 앞서 아이디어 차원에서 나눴던 대화처럼 교육 사업이 우리가 가장 먼저 추진해야 할 일이라고 의견들이 모아졌다.

어떤 교육을 진행해 볼 것인지의 방향을 정하는 일은 중요한 부분이었다. 콘텐츠 창작에 관한 꿈을 품고 있으며, 회사에서 콘텐츠를 영업해 온 선배들의 의견에 따라 시중에서 흔하게 접하기 어려운 창작 관련 교육과정을 기획해 보기로 했다. 나 역시 회사에서 창작 관련 교육과정을 상품화한 경험이 있었기 때문에 좋은 강사진을 섭외하고 창작을 원하는 사람들의 가려운 부분을 긁어주는 교육 프로그램을 개발한다면 뜬구름을 잡는 일만은 아닐 것이란 생각이 들었다.

사업을 구체화하기 위해 각자의 역할을 나누고, 맡은 일들을 시작했다. 마치 긴 휴가를 마치고 회사로 돌아와 다시 일을 시작하는 느낌이 들었다. 한동안 사라졌던 공통의 목적을 갖고 함께 일하는 동료가 다시 생겼다. 회의라는 것을 다시 시작하게 되었으며, 열띤 논의와 논쟁이 다시 불붙기 시작했다. 회사를 퇴직한 후부터 멈췄던 뇌 활동이 다시 시작된 것이다. 그리고 몸 안에 잠들어 있던 업무 습관들도 다시 꿈틀대기 시작했다. 시들어 있던 화초에 물을 주니 푸른 잎사귀가 다시 빛을 발하는 것처럼 말이다.

이렇게 우리의 사업 계획은 모양새를 갖추기 위한 첫발을 내딛기 시작했다. 오늘도 우리는 한 걸음 전진하고 있다.

같은 꿈을 꾸는 사람들

최근 며칠 동안 선배들과 함께 사업 계획을 세우기 위해 다양한 생각과 의견을 나누었다. 퇴직한 후 이렇게 많은 시간을 투자해 뭔가를 골똘히 생각하고 논의한 것은 처음이다. 앞으로 해야 할 일들을 생각하면 머리 아픈 난제들이 눈앞에 훤하지만, 마음만은 풍요로우면서도 즐겁다. 이런 순간들이 있기 때문에 사람은 노력을 기울여 뭔가 해야 할 일을 찾아야 하는 것 같다.

우리는 사업 계획 초안을 마련한 후 교육 프로그램의 강의를 맡아 줄 전문가들을 찾아 나섰다. 우리와 인연이 있는 웹소설 작가, 장르 작가, 대본 작가 등 다양한 전문가들을 만나 사업의 방향성을 공유하며 강사진으로 함께 할 것을 제안했다. 아울러 창작 과정에 대한 그들의 전문가적 식견과 시장의 특성을 공유하며 새로운 통찰력을 쌓아가기 시작했다. 새로운 분야에서 새로운 지식을 습득하는 과정은 언제나 가슴 벅차고 흥미진진한 일이다.

"생각하시는 방향이 좋은 것 같아요. 숨어있는 새로운 작품들을 세상에 내놓을 수 있는 좋은 기회가 될 것 같습니다. 저도 조금이나마 힘을 보태겠습니다."

반복되는 전문가들과의 소통과 함께 우리의 집요한 노력 끝에 강사진으로 참여하겠다는 작가들이 한두 명씩 나타나기 시작했다. 그들은 작품 활동을 하는 현직 작가로서, 창작에 관심이 있는 사람들에게 기성 작가들의 노하우를 전수하고 콘텐츠 시장의 파이를 키우며 신진 작가를 양성하자는 우리의 꿈에 공감하는 사람들이었다. 그들은 우리와 같은 꿈을 꾸는 소중한 사람들이다.

요즘은 계획한 일들을 하나씩 풀어나가는 것에 재미가 붙고 하루가 즐겁다. 역전의 용사들이 다시 모여 새로운 도전을 시작하고, 오랜 세월 자신들이 일해왔던 분야에서 다시 한번 성공을 이루기 위해 노력하는 의미 있는 날들을 보내고 있다. 특히, 다시 사람들과 소통하며 목표를 공유하고 상품을 만들기 시작했다는 것이 마음을 뿌듯하게 한다. 일의 성과도 중요하지만 지금, 이 순간만큼은 내가 원하는 일을 하고 있다는 즐거움에 푹 빠져들고 싶은 마음이 앞선다. 날마다 새로운 내일이 기대된다.

제안 미팅

그동안 갈고 닦아 준비한 서비스를 시장에 내놓기 위해 인지도 있는 교육기관들을 대상으로 프로그램 제휴 운영을 제안하기 시작했다. 사업 제휴 쪽으로 방향을 잡은 것은 우리가 갖고 있지 못한 시설과 시스템 등을 제휴를 통해 확보하기 위해서였다. 다행스럽게도 한 교육기관의 담당자로부터 우리의 제안에 관심이 있다며 구체적인 교육 내용을 들어보고 싶다는 회신이 왔다. 우리는 곧장 교육기관 담당자와의 일정 조율을 통해 미팅 날짜와 시간을 정했다.

미팅을 약속한 날이 다가왔고 우리는 충정로에 위치한 교육기관으로 발걸음을 옮겼다. 오랜만에 하는 제안 미팅이었기 때문인지 모처럼 가슴이 설레는 것을 느꼈다.

교육기관 사옥 1층에 위치한 카페에서 담당자를 만났다. 우리는 준비한 자료들을 전달하며 우리가 추구하는 사업 모형과 교육과정을 핵심 사항 위주로 소개하며 원하는 내용을 구체적으로 제안했다. 우리가 제안하는 내용을 잘 이해했는지, 마음에는 들었는지 계속해서 담당자의 눈치를 힐끗힐끗 살폈다.

미팅은 순조롭게 진행되었다. 우리가 제안한 교육 프로그램들은 그들이 지금까지 한 번도 진행해 보지 않은 새로운 영역의 과정들로 담당자의 흥미를 유발하는 데는 충분했다.

"창작지원이나 글쓰기 과정 같은 프로그램을 진행해 본 경험이 없어 제안 주신 내용이 흥미롭습니다. 저도 한번 들어보고 싶은 과정들인데요?"

담당자는 흥미로운 얼굴로 연거푸 질문을 쏟아냈고, 우리는 돌아가며 대답을 이어갔다. 특히, 글쓰기 과정을 통해 단편 모음집을 책으로 출간하고 신인 작가를 배출하며 이들의 창작활동을 지속적으로 지원하는 사업 모형이 마음에 든다는 것이었다. 담당자는 개인적으로 웹소설에 대한 관심이 높아 이 과정들이 운영된다면 본인도 교육생으로 참여해 보고 싶다는 의사를 내비치기도 했다.

잘 풀려가던 협의가 막히기 시작한 것은 판매 가격 산정과 양쪽이 나누어야 할 이익 배분의 설정 단계였다. 시장에서 운영되고 있는 경쟁 프로그램에 비해서 차별화 요소는 분명하나 판매 가격과 원가가 높아 수익성이 떨어져 보인다는 것이었다. 가격과 수익에 관한 내용은 언제나 쟁점이 되는 가장 큰 이슈였다. 시장에 형성된 가격에 비해 문턱이 높을수록 교육생 모집에 어려움이 있고 경쟁력 있는 교육과정을 운영하기 위해서는 자원의 투입이 많을 수밖에 없는 것이 현실이었다.

담당자 입장에서 제기한 문제는 당연한 것이었고 우리는 이를 충분히 공감했다. 풀어야 할 숙제가 주어진 것이었다. 우리는 다시 재협의를 진행하기로 하고 2차 미팅을 기약했다.

한 번의 미팅으로 뜻이 맞아 일이 술술 풀리면 금상첨화겠지만 직장 생활을 해왔던 지금까지 그랬던 적은 단 한 번도 없었다. 새로운 마음으로 새롭게 시작한 일인 만큼 앞으로 우리에게는 많은 문제와 숙제가 주어질 것이다. 첫 번째 숙제가 주어졌으니 한동안 서로의 머리를 맞대고 해결 방안을 모색해야 한다.

그래도 이번 제휴 미팅은 그동안 조용히 잠들어 있던 우리의 열정을 깨우게 한 의미 있는 자리였다.

지금 우리에게 필요한 것은?

시장에 경쟁력 있는 상품이나 서비스를 내놓는 일은 결코 쉬운 일이 아니다. 더군다나 이미 형성되어 있는 시장이고 그 안에서 많은 회사들이 사업을 영위하고 있다면 더욱 어려운 일이다. 교육기관 담당자와의 제휴 미팅 이후로 우리는 판매 가격 조정 및 원가 절감에 대한 깊은 고민에 빠져들었다. 교육과정을 진행하기에 반드시 필요한 항목들은 무엇인지, 줄일 수 있는 부분은 없는지, 담당자가 피드백한 것처럼 양측이 만족스러운 수익 배분 구조를 어떻게 만들어야 하는지가 고민의 핵심이었다.

선배들과 함께 몇 날 며칠을 처음부터 다시 사업 모형과 교육과정의 진행 시나리오부터 재점검했다. 또한 다시 한번 시장 조사를 진행했다. 하지만 최초 조사해 봤던 내용들과 달라진 것은 없었다. 다음으로 우리가 계획한 교육과정의 구조를 하나하나 다시 뜯어보기 시작했다. 일정 부분 원가를 줄일 방법들을 찾았지만, 기대만큼 만족스럽진 않았다. 막히고 또 막힌다. 결국 오늘도 주어진 숙제를 해결하지 못한 채 우리는 하루를 마무리해야만 했다.

처음부터 모든 일들이 순조롭게 진행될 것이라고는 생각하지 않았다. 오히려 많은 문제가 곳곳에서 발생할 테니 무조건 잘 버텨보자는 각오를 반복했다. 넘어야 할 산들도 많은 만큼 준비에 준비를 거듭하자는 다짐도 반복했다. 지금 우리에게 필요한 것은 시작도 하기 전에 지쳐 넘어지지 않는 인내와 끈기일 것이다. 많은 스타트업이 빛도 보기 전에 아이디어만으로 사장되어 가는 현실 속에서 우리의 사업이 빛을 볼 수 있도록 인내와 끈기를 바탕으로 끊임없는 도전과 노력이 필요할 뿐이다.

가장 중요한 것은 기본기

며칠째 선배들과 함께 숙제를 풀기 위한 논의를 이어왔다. 그러다 우리가 뭉친 처음의 생각으로 돌아가 과연 우리가 무엇부터 시작해야 하는지를 다시 이야기했다. 서로 다른 생각들을 끄집어내어 같은 방향으로 정리도 해보고 부족함을 채우기 위한 방법에 대해서도 의견을 나누었다. 그래서 지금, 당장 우리가 해야 할 일이 무엇인지 의견을 모았다.

짧은 시간 동안 우리들만의 생각으로 달려온 현실에 대한 환기가 필요했다. 선배 중 한 명이 우리가 지금 놓치고 있는 것과 갖추고 있지 못한 것 그리고 앞으로 필요한 능력과 역량에 대한 진단, 피드백을 해줄 창작 전문가와의 미팅을 주선하기로 했다. 우리는 모두 오랜 세월 작품 활동으로 현실 감각이 뛰어난 창작 전문가와의 만남이 사업 모형의 부족한 부분을 채울 좋은 기회가 될 것이라고 입을 모았다.

며칠 뒤 우리는 창작 전문가와 함께 점심을 먹으며 그동안 우리가 모르고 살았던, 우리가 해야 할 일의 현장이 어떻게 돌아가는지를 밑바닥 이야기부터 자세하게 들을 수 있었다. 시장, 기업, 소비자, 일의 프로세스 등 많은 이야기가 다루어졌지만, 그가 말하는 핵심은 일을 하기 위해서 가장 중요한 것은 기본기를 잘 갖추고 처음부터 끝까지 직접 해봐야만 한다는 것이었다. 너무나 일반적이고 상투적이었지만 그의 말이 진리인 것만은 틀림이 없었다.

세상 모든 일들이 마찬가지이겠지만 그 일이 무엇이든 가장 중요한 것은 기본기를 잘 갖추고 있느냐이다. 기본을 할 줄 알아야 실수가 줄고 능숙해지며 점차 효율이 높아진다. 자동차를 운전하는 것도 기본을 알아야 운전을 할 수 있고 많이 해봐야 능숙해진다. 회사에서 일을 하는 것도 담당 직무의 기본을 알아야 일을 시작할 수 있고, 많이 해봐야 능숙해지며 효율이 오른다.

누구나 다 아는 가장 기초적이고 기본적인 진리를 다시 한번 깨우치는 고마운 자리였다. 선배들과 난 우리가 부족한 기본을 채우는 일을 먼저 하기로 결정했다.

퇴직 좀 하면 어때?

밤낮없이 준비한 교육사업 모형과 상품의 재정비와 방향이 어느 정도 마무리되었다. 아직 부족한 점도 많고 서로의 의견이 갈팡질팡한 부분들도 여전히 남아 있다. 그래도 얼마 전까지 말로만 떠들던 뜬구름 수준의 생각들이 모여 손에 잡힐 만한 결과물을 만들기 시작했다는 것은 나름대로 의미가 있는 진전이다. 우리와 뜻을 같이하고 동참하겠다는 사람들도 여럿 생겼다. 이제는 이들과 함께 적극적인 실행 단계로 넘어가고자 한다. 우리가 준비한 교육 상품이 세상에 어떻게 받아들여질지는 알 수 없지만 우선 부딪혀 보고자 한다.

아이디어만으로 시작하는 스타트업이다. 열정만이 넘쳐날 따름이다. 부족한 부분은 실력 있는 다른 이들과의 협력을 통해 메꾸고자 한다. 의욕과 열정이 충만하게 담긴 제안서도 마련했다. 이제는 구두 밑창이 닳도록 두 발로 뛰어다닐 차례다.

선배들과 함께 새로운 일을 준비하면서 '나'가 아닌 '우리'라는 표현을 자주 쓰기 시작했다. '우리'라는 단어에는 '자기와 듣는 이를 포함한 여러 사람을 가리키는 일인칭 대명사'란 의미가 담겨 있다고 한다. 회사를 떠나 실직자의 길을 걷기 시작하면서 '나'라는 좁은 세상 속에서 허우적거렸다. 그러다 선배들로 인해 '우리'라는 넓은 세상을 만나게 되었다. 우리가 하나 되어 앞으로의 일들이 잘 풀린다면 또 다른 사람들을 만나 더 큰 '우리'를 만들어 갈 수 있을 것이다. 희망과 기대를 품고 만들기 시작한 '우리'라는 넓은 세상이 모두에게 아름답게 펼쳐져 빛이 나면 좋겠다.

퇴직 좀 하면 어떤가?

회사를 나온다고 내 삶이, 세상이 모두 끝나는 것은 아니다. 언제가 될지는 알 수 없지만 어떤 모습으로든 일할 기회는 반드시 다시 찾아올 것이다. 우리가 새로운 도전을 맞이할 마음가짐과 준비만 되어있다면 말이다.

지금부터 다시 시작해 보자. 열심히, 그리고 잘~!

Epilogue.

오늘도 희망을 품으며.

지극히도 평범한 엉차장의 퇴직을 시작으로 하루하루의 여정에서 느낀 모든 감정과 경험을 함께 나누었습니다. 글을 쓰면서 함께 한 순간들이 또 하나의 소중한 기억으로 남았습니다. 평범해 보이는 엉차장의 이야기가 잠시마나 우리의 이야기인 것 같은 공감대를 만들어 주었다면 이 글을 쓴 의미가 충분히 있었다고 생각합니다.

엉차장의 이야기는 아직 끝나지 않았습니다. 오히려 새로운 시작의 문을 열었습니다. 엉차장의 이야기는 우리에게 그려진 그림이자, 새로운 길을 열어주는 열쇠가 아닐까요? 엉차장의 경험을 통해 우리의 삶을 돌아보고, 지극히 평범한 사람일지라도 더 나은 미래를 위한 희망을 품어볼 수 있지 않을까요? 매일 반복되는 지극히도 평범한 삶 속에서도 소중한 순간들을 찾을 수 있다는 것을 다시 한번 성찰하게 됩니다.

마지막으로, 이 책을 읽어 주셔서 고맙습니다. 함께 이야기를 나누고, 함께 성장하고, 함께 행복한 순간들을 나눌 수 있는 삶이 있어서 행복함을 느낍니다. 함께 한 모든 분들에게 저의 진심을 담아 감사의 말씀을 전합니다. 특히, 항상 옆에서 지켜봐 주고 응원해 준 가족에게 고맙고 사랑한다는 말을 전하고 싶습니다.

이제 다시금 삶의 여정을 시작해 보려고 합니다. 앞으로 다가올 날들 속에서 또 다른 가르침과 지혜를 얻으며 새로운 도전에 노력하겠습니다.

오늘도 희망을 품으며...